Carol Costa
Paisagismo para todos
(até os sem quintal)

MINHAS PLANTAS

Carol Costa
Paisagismo para todos
(até os sem quintal)

paralela

A Editora Paralela é uma divisão da Editora Schwarcz S.A.

Grafia atualizada segundo o Acordo Ortográfico da Língua Portuguesa de 1990, que entrou em vigor no Brasil em 2009.

CAPA e PROJETO GRÁFICO   Joana Figueiredo
FOTO de CAPA   Angelo Dal Bó
ILUSTRAÇÕES   Ricardo Ligabue
PREPARAÇÃO   Angélica Andrade
ÍNDICE REMISSIVO   Probo Poletti
REVISÃO   Carmem T. S. Costa, Luciane H. Gomide e Marise Leal

FOTOGRAFIA   Ângelo Dal Bó
DIREÇÃO GERAL E PRODUÇÃO   Carol Costa
DIREÇÃO DE ARTE   Joana Figueiredo
ASSISTÊNCIA E PRODUÇÃO   Juliana Valentini
ASSISTÊNCIA E CONSULTORIA   Flores Welle
TRATAMENTO DE IMAGENS   Márcio Uva

ARQUIVO PESSOAL Carol Costa: pp. 33, 37(cacto-estrela), 39, 97 (crisântemo), 98 (arranjo com suculentas), 104, 105 e 198; SHUTTERSTOCK: pp. 3 (samambaia), 28, 31 (gato), 35, 36, 37, 38, 40, 41, 45, 53, 55, 63, 64 (calateia e jade azul), 72 (vasos), 73, 74 e 75 (gnomos e vasos), 85 (caminho e pergolado), 97 (*Pilea peperomioides* e tagete), 100, 101 (samambaia) 105 (arco), 141, 144, 166, 224, 225 e 256; ISTOCK: p. 35 (capim-gordura); DREAMSTIME: p. 35 (ipê).

2ª reimpressão

[2021]
Todos os direitos desta edição reservados à
EDITORA SCHWARCZ S.A.
Rua Bandeira Paulista, 702, cj. 32
04532-002 – São Paulo – SP
Telefone: (11) 3707-3500
editoraparalela.com.br
atendimentoaoleitor@editoraparalela.com.br
facebook.com/editoraparalela
instagram.com/editoraparalela
twitter.com/editoraparalela

Dados Internacionais de Catalogação na Publicação (CIP)
(Câmara Brasileira do Livro, SP, Brasil)

Costa, Carol
    Minhas plantas 2 : Paisagismo para todos (até os
sem quintal). Carol Costa. – 1ª ed. – São Paulo : Paralela, 2020.

    ISBN 978-85-8439-180-6

    1. Flores – Cultivo 2. Jardinagem 3. Plantas 4. Plantas
– Cultivo 5. Plantas – Guias I. Título.

20-41774   CDD-635

Índice para catálogo sistemático:
1. Jardinagem 635
Cibele Maria Dias – Bibliotecária – CRB-8/9427

Pras árvores mais imponentes da minha
floresta: Juliana Valentini, Flores Welle,
Raul Cânovas, Benedito Abbud e Harri Lorenzi.
Devo minhas mãos sujas de terra a vocês.

Introdução

Entre o vasinho e o matagal

Queria fazer bonito pro namorado e resolvi preparar um jantar que nem gente grande, com a mesa cheia de taças e guardanapos de tecido enrolados em argolas de madeira. Era estudante de jornalismo, e tudo o que eu mais desejava na vida era parecer ADULTA – não uma universitária caipira e franzina. Segui exatamente o passo a passo das receitas, certa de que, se fosse uma boa menina, seria brindada com elogios e uma noite inesquecível.

(Pausa pra uma súplica: se você, verdinho, é bom com as panelas, tenha piedade de mim neste momento, tá?)

De volta aos meus vinte anos… Servi salada de aspargos com presunto cru e *pinoli*, que me custaram quase o valor da mensalidade da facul. Depois, uma sopa de cebola que vi em um livro de receitas francesas. O prato principal foi picanha com crosta de alho e alcaparras, acompanhada de risoto de pera e gorgonzola, além de suflê de queijo – receita da minha mãe, que incluí pra dar sorte. De sobremesa, uma torta de morango em três camadas – algo que hoje a gente chamaria de *porn food*, mas na época aquele parecia um jeito absolutamente adulto de oferecer frutas (cobertas com quantidades industriais de leite condensado, é claro). E, além do vinho, comprei água tônica, que nenhum dos dois bebia, mas que eu achava o auge da maturidade gastronômica.

Todo carinhoso, meu namorado elogiou a salada de "apresuntado com amendoinzinhos". Tomamos sopa rindo da água tônica, que parecia refrigerante sem açúcar. Quando trouxe os pratos principais, ele arregalou os olhos: "Nossa, Carol, quanta coisa!". Se esforçou pra pegar quantidades mínimas de cada receita, até ficar silencioso, remexendo as alcaparras no prato. Fiz bico. "Você não comeu a picanha!" Ele coçou a cabeça, meio envergonhado, medindo as palavras. "É que a sopa, sozinha, já foi quase uma refeição inteira…" Entendi tudo. O problema não era só o excesso de comida, eu tinha misturado coisas demais. Muitos pratos que não combinavam entre si.

Você deve estar se perguntando por que raios tô falando de culinária num livro sobre paisagismo. Olha, se leu *Minhas plantas: Jardinagem para todos* (*até quem mata cactos*), talvez tenha se tornado um verdinho experiente em montar vasos. Pode ser que construa com maestria o arranjo de suculentas que ensinei naquelas páginas, ou que seja capaz de criar hortaliças em suportes incomuns, como latas e vasilhas. Se deu tudo certo, consegui provar que "dedo podre" não existe, então você abraçou seu potencial e se animou a ter sua própria floresta. Comprou uma planta, depois outra, ganhou mudas dos amigos, conseguiu sementes com sua mãe e nunca mais parou de ocupar espaços vazios com seres clorofilados. Não sossegou até encontrar a costela-de-adão em miniatura que aparece nos Pinterest da vida e está doido atrás daquela espécie rara de suculenta que viu num Instagram gringo, mas nunca achou no Brasil.

Vai por mim, quando seu cantinho verde virar um amontoado irrecuperável de plantas bagunçadas mesmo com muita enxada e paciência, aí você terá se teletransportado pra minha pele de universitária, vivenciando aquela noite inesquecível, vinte anos atrás. Vai ter certeza, como eu tive, que ser bom em preparar um prato ou montar um vaso não é o mesmo que fazer muitos deles funcionarem juntos, combinando entre si. Essa é a verdade nua e crua, seja na gastronomia ou no paisagismo.

Pra piorar, comida em excesso a gente congela, descongela, serve com outro acompanhamento, mas quedê coragem pra se desfazer de planta a mais? Pensa aí se vai conseguir MESMO doar aquele fícus-lirata que custou outra mensalidade da facul só porque você descobriu, tarde demais, que ele não tá feliz no canto escuro da sala. Quero ver admitir que o cacto realmente mofou no vidro fechado e que, puxa, aquele vaso de garrafa PET feito num surto de *do it yourself* não tem nada a ver com o resto da decoração da casa.

Ah, e pode ser que você seja o oposto desse louco das plantas: um amante da natureza que tem só UM vaso na mesa do escritório, com medo de arriscar. Conheço bem esse perfil. Foi no que me transformei aos vinte anos, depois do famoso jantar pro namorado. Fiquei meses sem inovar na cozinha outra vez. Sabe por quê? Chega pertinho que eu tenho vergonha de falar. *Fiquei morrendo de medo de errar de novo.* Ufa, contei! Será que não é isso que acontece com você? "Melhor ter só um vaso do que ter vários e deixar o lugar parecendo um matagal", esse é seu lema?

Já que contei meu terrível passado como cozinheira, posso ajudar você a ser um paisagista mais confiante? A jornada fracassada pelo fogão me ensinou que a maioria de nós salga demais a vida com um ingrediente assassino de prazeres: o medo. Essa palavrinha de quatro letras nos paralisa tanto, mas tanto, que tudo parece terrível e assustador. Não estou falando apenas de queimar a comida ou de o bolo ficar cru, não. Na jardinagem, muitos têm medo de matar de sede um cacto ou afogar uma orquídea. Medo de podar bonsai. Medo de escolher errado e levar uma planta doente pra casa. Medo de a árvore não dar flor e, se der, as flores caírem no chão e alguém reclamar. Medo de o galho da roseira secar e medo de cortá-lo.

Tem jeito pra isso. Que tal jogar o medo no lixo? Anota "medo" num pano velho e usa de manta de drenagem no vaso. Escreve as quatro letrinhas terríveis num papel, faz um canudo e usa pra semear um canteiro. Ou joga dentro do regador pro papel ir se borrando. De medo. :P

Agora que o medo foi embora, vou revelar os três passos que me ajudaram a fazer as pazes com as panelas e podem transformar acumuladores de plantas e jardineiros inseguros em paisagistas do próprio jardim. Antes, *entenda que errar é parte do processo*. Juntou três plantas numa jardineira e uma delas deu ruim? Respira, desmonta parte do vaso e substitui por uma nova verdinha. Além de uma planta, você ganha uma lição e já sabe quem não dá certo naquele lugar. Parece algo simples, mas você ficaria besta se soubesse quanta gente insiste em comprar lavanda em Goiás, num verão de quarenta graus que derrete até cacto.

O segundo passo pra ajeitar seu cantinho verde com segurança é *respeitar os ingredientes* – as plantas, no nosso caso. Não é uma negociação com reféns, verdinho, o problema é seu lavabo; e, não, definitivamente não vai adiantar pôr um adubo melhor naquela suculenta que ficou meses num cômodo sem janela. Tudo bem querer uma couve menos amarga, mas esperar que ela não tenha nenhum amargor é desvalorizar suas qualidades, tentando mudar justamente aquilo que a torna tão característica, entende?

Plantas são legais e adaptáveis, mas forçar uma espécie de sol a sobreviver na sombra é uma sacanagem tão grande quanto oferecer um salário milionário pra um carioca viver sozinho na Groenlândia. O cara vai sentir falta de gente, de sol, de praia, de calor humano, não é? Com as verdinhas é a mesma coisa. Em vez de tentar chantageá-las com um banho de sol ocasional, que tal aceitar que algumas não vão ser felizes com as condições de luz, clima e espaço que você tem? Não fica triste: assim que você arranjar um novo lar pra sua planta, eu pego na sua mão e a gente escolhe junto uma nova planta pro seu lar.

"O.k., aprender com o erro e respeitar a identidade de cada planta, mas por onde eu começo?" Lendo. Não estou falando em ler este livro exatamente – embora esteja torcendo pra vocês dois se darem bem –, e sim em *ler primeiro a situação* e depois tomar decisões. Se eu tivesse "lido" direito as condições daquele fatídico jantar, saberia a quantidade de comida que duas pessoas são capazes de ingerir numa refeição e que alguns pratos não precisam de acompanhamento porque já são substanciosos sozinhos. No paisagismo, você pode tirar boas conclusões se fizer uma leitura atenta do ambiente, se pensar em quem vai cuidar daquele espaço, se bate vento, em quantas horas de sol o lugar recebe e outros pontos simples de prever. Assim, fica muito mais fácil fazer boas escolhas.

Por fim, desejo a você um pouco de coragem e perseverança pra fazer dar certo. Hoje cozinho relativamente bem. Não acerto toda vez, mas me divirto entre as panelas e me sinto segura pra experimentar receitas novas ou bolar um almoço pros amigos. No paisagismo, como na culinária, nem sempre dá pra fazer coisas complexas sozinho – muitas vezes será necessário recorrer a um profissional, evitando problemas, quebra-quebra e gastos desnecessários. Um bom jardineiro e um paisagista talentoso são pessoas que você vai querer ter à mão. Mesmo eu, que trabalho com isso, recorro a eles pra resolver situações complicadas – em algumas fotos deste livro você verá Juareis (p. 108) e Toninho, dois jardineiros a quem peço ajuda quando preciso. Por outro lado, organizar o paisagismo de pequenas áreas, especialmente em vasos, está ao alcance de qualquer um, assim como preparar uma refeição gostosa. Falo não como jardineira e apresentadora de TV, mas como a pessoa casada há vinte anos com o moço da sopa de cebola. Então, joga o medo no lixo e vem plantar comigo!

UM LIVRO PRA SUJAR DE TERRA

Estar cercado de verde transcende idade, gênero e crenças pessoais. Convivemos com a natureza desde que surgimos no planeta. As plantas, como velhas amigas, despertam em nós segurança, familiaridade e acolhimento. Já reparou como a visão de uma cachoeira enfeitada por samambaias pode nos deixar animados? Enquanto um trecho de mata nos convida à aventura, a sombra dos coqueiros numa praia remete ao relaxamento. Muitas outras sensações que você verá surgir das suas próprias mãos. Este livro é uma ferramenta pra ajudá-lo a se sentir confiante e acolhido no cantinho verde que decidir criar.

Na página 22, você vai encontrar uma planta baixa dos cômodos mais comuns de casas e apartamentos. A ideia é que elas guiem seu olhar e funcionem como um sumário visual, antecipando os desafios de cada ambiente. Depois, basta ir à página correspondente ao cômodo desejado pra se aprofundar.

Embora nem todo banheiro seja escuro e nem toda sala seja ensolarada, há problemas previsíveis a ser resolvidos de acordo com o recinto. A sorte é que existem boas soluções paisagísticas para tudo. Em cada capítulo, há sugestões de plantas, vasos, suportes, substratos e arranjos. Preparei duas simulações de um mesmo ambiente – um com mais e outro com menos sol – pra que você se sinta inspirado e escolha as melhores espécies conforme a situação, sem necessariamente mudar a disposição dos vasos.

A partir da página 232, há listas rápidas de consulta e substituições de plantas – muitas delas foram descritas mais detalhadamente no meu livro anterior, o *Minhas plantas: Jardinagem para todos (até quem mata cactos)*, o irmão mais velho deste aqui. Se não encontrar determinada espécie num dos passo a passos, vale buscar uma que crie o mesmo efeito nesses listões, que são uma mão na roda. Também preparei um índice remissivo pra ajudar na navegação pelas dicas, afinal, uma folhagem especial pode ficar bonita tanto na varanda quanto na sala – pensando bem, talvez exista um jeito esperto de ela crescer até mesmo no escritório com ar-condicionado!

Esta obra foi pensada pra ser sua parceira nas horas difíceis. "Como escondo uma vista feia?" "Que planta posso pendurar na varanda?" "O que faço pra impedir que o cachorro escave minha horta?" Nos próximos capítulos, você vai encontrar as respostas pra essas e muitas outras perguntas. Torço pra que este livro esteja ao seu lado no dia em que, com as unhas ainda sujas de terra, você se sentar pela primeira vez embaixo da sombra da árvore plantada com suas próprias mãos. Vai ser lindo. S2

Capítulo 1
Partiu floresta!

Decidiu encher a casa de verde? Aqui vai, papo reto: tudo o que você precisa saber, planejar e comprar (ou não!) antes de transformar sua sala em uma reserva da Mata Atlântica

"Ler" bem as características do lugar evita muito planticídio.

Primeiro ler, depois plantar

Quem me conhece sabe que sou adepta da jardinagem--sincerona, então aqui vai: fazer uma boa leitura do ambiente é a regra de ouro pra começar bem um projeto, ainda que ele seja executado por suas próprias mãos. Neste livro, quero mostrar que isso não é tão complicado quanto parece. Se você tem medo de errar, taí outra chance de jogar o medo fora: quase ninguém sabe ler corretamente o espaço disponível.

A gente diz "na minha sala bate muito sol", mas não sabe exatamente quantas horas de insolação direta o espaço recebe ou a trajetória da luz dentro do cômodo ao longo do dia. Quase sempre as pessoas confundem sol e calor, e em ambientes quentes a impressão é que recebem mais sol do que de fato acontece. Também nos esquecemos de considerar o vento, além de outros fatores importantes pro diagnóstico do espaço. Sabe por quê? Nem sempre ficamos em casa e, quando estamos ali, mil outras coisas roubam a nossa atenção.

Agora que a vontade de criar seu cantinho verde está gritando dentro do seu coração, precisamos combinar uma coisa. Espera um pouquinho pra correr até a floricultura, pedir muda pra vizinha, entupir o carrinho no garden center ou inventar uma desculpa pra passar na seção de jardinagem do hipermercado. Antes de sair enchendo a casa ou o apartamento de plantas, jura pra mim que você vai PRIMEIRO se dedicar de verdade a "ler" o espaço que quer enverdecer? Jura juradinho? Prometo que será muito mais fácil assim, porque vai evitar muitos planticídios e ajudar você a visualizar o que funciona junto e o que realmente não vai rolar.

Além disso, pra não correr o risco de criar um amontoado de plantas, faça suas primeiras composições paisagísticas em espaços pequenos – melhor ainda se for num vaso com rodízios, facilmente arrastável de um lugar pro outro. Ambientes diminutos, como a mesa de trabalho ou o parapeito da janela da cozinha, são perfeitos para exercícios de volumetria e vão deixá-lo mais confiante pra experimentar em espaços um pouco maiores. Se você já passou por essa fase e tem um quintal inteiro como desafio, divida-o em lotes menores e vá enverdecendo aos poucos. É assim que um grande paisagista cria praças e parques, setorizando e projetando pequenas áreas de interesse que conversam entre si. Vambora?

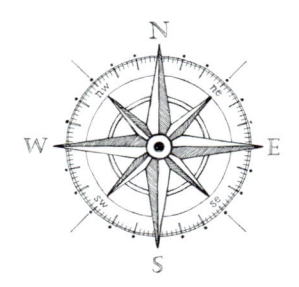

Onde nasce o sol mesmo?

Nem pá de jardinagem nem tesoura de poda. A primeira ferramenta em que você vai investir é uma… bússola. E não precisa ser o objeto concreto: instale um aplicativo de bússola no celular – há versões gratuitas pra todos os sistemas operacionais. Com o aparelho deitado e encostado no umbigo, gire o corpo até alinhar o N com o maior traço do mostrador. Se tiver feito direitinho, o Norte vai estar à sua frente, o Leste (onde o sol nasce) à direita, o Sul às suas costas e o Oeste (onde o sol se põe) à esquerda. Sem mudar o alinhamento da bússola, vá até o lugar onde quer posicionar as plantas e, imaginando o trajeto do sol no céu ao longo do dia, tente prever quantas horas de luz direta as verdinhas vão receber ali. Se estiver inseguro, observe a incidência de luz por um dia inteiro.

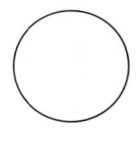 **NENHUMA HORA DE SOL**, como é comum à face Sul. ou um cantinho a mais de três metros de uma janela vão dificultar o crescimento natural das verdinhas. A única forma de um ser clorofilado sobreviver num lugar assim é com a ajuda de lâmpadas *grow light* (falo delas na p. 125).

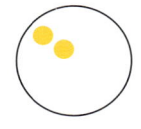 **MENOS DE DUAS HORAS DE SOL** significa trabalhar com plantas de sombra, como são chamadas as espécies mais delicadas, que gostam de luz difusa: as faces Sudeste ou Sudoeste têm essa condição natural. Não confunda sombra com breu: se até de manhã é preciso acender uma lâmpada no cômodo, volte ao tópico anterior.

 **ENTRE DUAS E QUATRO HORAS DIÁRIAS DE SOL**, como nas faces Leste e Oeste, vão agradar às plantas de meia-sombra, que podem ser mais ou menos delicadas, de acordo com o período em que recebem luz – o sol da tarde é sempre mais forte que o da manhã, especialmente no Norte e no Nordeste do país.

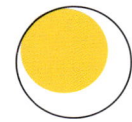 **SE BATE SOL O DIA TODINHO**, como na face Norte, as melhores escolhas vão estar entre as plantas de sol pleno, aquelas que curtem receber oito horas de luz natural intensa sem ganhar rodelas de suor embaixo dos braços, digo, das folhas.

7 perguntas que sua planta faria (se não fosse muda)

1. BATE SOL *DE VERDADE* NAS MINHAS FOLHAS?

O.k., a parede que você escolheu é voltada pro nascente, mas tem um prédio e-nor-me do outro lado da rua, deixando metade dela no escuro. Talvez a planta de meia-sombra escolhida tenha de ser presa ao teto ou precise de um suporte alto pra receber sol.

2. TÔ EM FRENTE À JANELA?

Deixar o vaso *perto* da janela não é o bastante: se ele ficar acima dela, no teto, ou for pequeno e posto no chão, abaixo do parapeito, vai ficar no breu. O mesmo acontece com as laterais da janela, que, dependendo da trajetória do sol, viram áreas sombrias.

3. ALGUMA COISA TÁ ME ESCONDENDO?

Sofás, mesinhas e aparelhos de TV são alguns dos objetos que podem projetar sombra, mesmo que o local seja superiluminado. Um parapeito de janela que recebe raios solares o dia todinho se torna apenas um ambiente claro se a cortina está sempre fechada.

4. VOU MORAR NUM CANTO À SUA VISTA?

Vasos deixados embaixo do rack da TV logo são esquecidos na rotina de regas, assim como a suculenta do quarto de hóspedes que nunca recebe visita. Sabe a samambaia estrategicamente posicionada no alto da estante pra "tapar buraco"? Ela vai morrer se não ficar no seu campo de visão...

5. TEM CRIANÇA OU BICHO NO PEDAÇO?

Se sim, suspenda os vasos com suportes presos à parede ou ganchos parafusados no teto. Como filhos pequenos e animais de estimação entediados têm maior potencial destrutivo, dê uma olhada nas dicas da p. 120. Também vale criar barreiras contra cães e gatos que reviram canteiros.

6. VOCÊ AGUENTA ME ESPERAR CRESCER?

Essa resposta vai nortear o tamanho das plantas – sementes, mudas ou adultas – e o tempo e o dinheiro investidos no seu cantinho verde. Quanto menor a espécie, mais barata vai ser, mas o projeto parecerá meio "vazio" no começo e levará meses até "preencher".

7. E SE EU FIZER "XIXI"? O.O

É melhor plantar num vaso com furos do que num cachepô (aquele vaso decorativo sem furos embaixo). Se o lugar tiver piso frio, tudo bem molhar um pouco o chão? Já plantas que ficam em cima de móveis ou perto de tapetes pedem pratinho ou cachepô mesmo.

vaso

cachepô

Proteja seu jardim do vento

Sabe por que MUITA horta plantada em local ensolarado, regada direitinho, mantida em terra boa e adubada acaba morrendo rápido? Por causa de um assassino de sangue-frio: o vento. Ele é responsável por muitos planticídios, então essa precisa ser sua prioridade se o ambiente for aberto demais ou estiver exposto a ventanias – a cobertura de um edifício ou um amplo quintal no alto do morro, por exemplo. Antes de pensar em qualquer planta, bole um quebra-vento capaz de criar um lugar agradável pra todas as outras verdinhas que vierem depois.

- Um bom quebra-vento pode ser **construído**, como um muro ou uma estrutura coberta com sombrite, mas há soluções **plantadas** que fazem o mesmo (de um jeito bem mais bonito).

- Uma **trepadeira resistente ao vento** consegue escalar uma grade e "blindar" o ambiente, permitindo que plantas mais delicadas cresçam perto dela. *veja na p.* **109**

- **Árvores e arbustos** que curtem ventania podem ser plantados em zigue-zague, no chão ou em vasos, protegendo uma área horizontal equivalente ao dobro de sua altura.

- Com suas folhas franjadas, **palmeiras** são as rainhas do vendaval e criam barreiras imponentes. Vale plantar um grupo com alturas diferentes – elas vão bem até em vasos.

- Vento frio e pouco espaço? Eleja espécies de clima temperado ou mediterrâneo ou com **tronco lenhoso e folhas duras, estreitas e envernizadas**, como a do alecrim ou da lavanda. Nos próximos capítulos você vai encontrar algumas opções.

- **Cactos e outras suculentas** costumam conviver numa boa com correntes de vento. Proteja-os apenas quando estiverem com botões, já que as flores caem com a ventania.

Trepadeiras ou palmeiras podem render bons quebra-ventos quando o ambiente fica inóspito até para cactos.

Em bom plantês

A jardinagem é a base de um bom paisagismo, por isso, se quiser criar paisagens ou decorar ambientes usando as verdinhas, saber "plantês" ajuda muito. Aprender a língua das plantas não exige nenhum talento especial, apenas treino e observação. Aqui vai um pequeno dicionário do que elas nos "dizem" por meio de suas folhas, caules, troncos e flores. Ah, importante: como há milhões de espécies vegetais no mundo, as dicas a seguir não são leis imutáveis, e sim pistas pra guiar quem está começando, combinado?

SE A FOLHA É...

1. **GORDA (COMO NAS SUCULENTAS):** "Passo sede de boas, tô acostumada."

2. **FINA E MACIA (COMO NA ALFACE):** "Murcho rapidinho se ficar sem água, hein!"

3. **FINA, GRANDE E LISA (COMO NA BANANEIRA):** "ODEIO vento, AMO solo úmido!"

4. **FRANJADA (COMO NA PALMEIRA):** "AMO vento, ODEIO solo encharcado!"

5. **ENVERNIZADA (COMO NOS FILODENDROS):** "Não saio de casa sem protetor solar!"

6. **PELUDINHA (COMO NOS CAPINS):** "Aguento sol e vento sem perder a pose."

7. **VERDE-ESCURA (COMO NA PLEOMELE VERDE):** "Sou moça delicada, adoro uma sombra."

8. **ESBRANQUIÇADA (COMO NA PLEOMELE-VARIEGADA):** "Tomo sol sem esquentar!"

9. **DENSA IGUAL MOITA (COMO NO ALECRIM):** "Bate sol e venta muito onde vivo."

10. **MUITO PERFUMADA (COMO NA ARRUDA):** "Quero as pragas longe de mim!"

11. **CORTANTE (COMO NO CAPIM-LIMÃO):** "Tem bastante silício na minha seiva."

12. **COLORIDA E PEGAJOSA (COMO NA *DROSERA*):** "Minha comida favorita são os insetos!"

13. **DISPOSTA EM RAMPA (COMO NA ORQUÍDEA *PHALAENOPSIS*):** "Não se apega, não, chuva!"

14. **DISPOSTA EM COPO (COMO NA BROMÉLIA):** "Vem, água da chuva, fica mais."

15. **CADUCA, CAI QUANDO SECA (COMO NOS IPÊS):** "Se falta água, poupo pra florir."

16. **CADUCA, CAI QUANDO FAZ FRIO (COMO NO JASMIM-MANGA):** "Brrrr... que frio!"

17. **DURA, FINA E PONTUDA (COMO NOS PINHEIROS):** "Frio é pros fortes!"

capim-gordura

pleomele verde

Drosera

Phalaenopsis

ipê

asparqo-alfinete

flamboyant

bambu

SE A RAIZ É...

1. **BULBOSA (COMO NO ALHO):** "Pode esquentar, pode secar, pode nevar, não ligo!"

2. **ENVERRUGADA (COMO NO FEIJÃO):** "Abrigo bactérias que me dão nitrogênio."

3. **GORDINHA (COMO NO ASPARGO-ALFINETE):** "Guardo água pros tempos de seca."

4. **COBERTA POR UMA CAPA (COMO NA *VANDA*):** "Gosto de água, mas sem encharcar."

5. **EXPOSTA (COMO NO FLAMBOYANT):** "Preciso de MUITO espaço no chão."

6. **RIZOMATOSA (COMO NO BAMBU):** "Cresço forte e broto pra todo lado!"

cosmo

cacto-estrela

helicônia

curcúligo

SE A FLOR É...

1. **FLOR? OI? (COMO NA SAMAMBAIA):** "Sou jurássica, florir é mudééérno!"

2. **AMARELA, LARANJA OU VERMELHA (COMO NO COSMO):** "Venham, bichos diurnos!"

3. **AZUL, ROXA OU LILÁS (COMO NO MARACUJÁ):** "Chegaí, abelha, adoro você…"

4. **RUBRA E FEDIDA (COMO NO CACTO-ESTRELA):** "Minha best é a varejeira #podemejulgar."

5. **BRANCA E PERFUMADA À NOITE (COMO NA GARDÊNIA):** "Sintam-se à vontade, morcegos e mariposas!"

6. **EM FORMA DE TUBO (COMO NA HELICÔNIA):** "O que não faço por um beija-flor…"

7. **DE MIOLO PLANO (COMO NO GIRASSOL):** "Tenho pista de pouso pras borboletas."

8. **RENTE AO CHÃO, ESCONDIDA PELA FOLHAGEM (COMO NO CURCÚLIGO):** "Baratas, quero ver suas patas! Ratos, saiam dos sapatos… Venham me polinizaaar!"

SE O CAULE É...

1. **CAULE? QUE CAULE? (COMO NO MUSGO):** "Não tenho estrutura pra estiagem…"

2. **CHEIO DE BRAÇOS (COMO NA UNHA-DE-GATO):** "Me apego às coisas… pra subir!"

3. **MACIO E VERDE (COMO NA TORÊNIA):** "Ih, não duro mais do que um ano…"

4. **GORDINHO EMBAIXO (COMO NA PATA-DE-ELEFANTE):** "Sou o camelo das plantas! ;)"

5. **LENHOSO (COMO EM ÁRVORES E ARBUSTOS):** "Quanto mais forte, mais eu vivo."

6. **COBERTO DE ESPINHOS (COMO NOS CACTOS):** "Essa água aqui dentro é minha!"

7. **RETORCIDO (COMO NAS PLANTAS DO CERRADO):** "Tem muito alumínio no solo…"

No chão, num canteiro ou em vasos

Pra quem ama plantas como eu, ter muitos vasos pode ser tão aflitivo quanto ter apenas um: a gente rebola pra suprir as necessidades desses seres clorofilados e proporcionar as condições perfeitas de luz, rega, adubo e substrato. Tudo porque o vaso, o canteiro ou mesmo a bolsa de feltro do painel vertical isolam as raízes do seu entorno. Assim, a planta – o ser mais independente que existe no mundo, capaz de produzir sua própria energia usando apenas ar, água e terra – fica totalmente dependente de nós.

Se você não pretende virar babá de planta, o jeito mais eficiente de ter verdinhas por perto é deixá-las desbravar o solo como bem entenderem, dando às raízes o máximo possível de chão. Não tem quintal? Tudo bem. Quer faça o paisagismo em vasos, quer seja em canteiros elevados, o pulo do gato nem é tanto fornecer profundidade – ter entre sessenta e oitenta centímetros pra enraizar deixa a maioria dos arbustos e arvoretas muito felizes –, mas sim largura. Quanto maior o espaço horizontal, maior a diversidade de plantas pra escolher.

Importante: Ao plantar espécies diferentes no mesmo lugar, reúna as que curtem as mesmas condições de luz, água e substrato.

① SÓ TEM UM VASINHO NA MESA NO TRABALHO?

Experimente trocá-lo por uma bacia de barro ou cerâmica esmaltada em que possa criar uma pequena composição com plantas de alturas diferentes – orquídeas ou suculentas costumam ir muito bem nesses lugares. A partir da p. 134 há boas ideias pra fazer arranjos.

② NÃO HÁ ONDE FAZER UMA HORTA?

Uma jardineira retangular de plástico com um pratinho embaixo pode reunir até três hortaliças: que tal um tempero, uma verdura e uma erva pra chá morando no parapeito de uma janela ensolarada? Há mais sugestões nos próximos capítulos.

SÓ PODE USAR UMA PAREDE?

Há vários modelos de quadros verdes e painéis verticais, que suspendem as verdinhas por ganchos no teto ou estruturas presas à parede. Taí uma solução boa pra deixar as espécies tóxicas longe de bichos de estimação. Detalho isso melhor na p. 55.

O "JARDIM" SE RESUME A DEZENAS DE POTINHOS PLÁSTICOS?

Todo jardineiro que se preze começa plantando em pote de sorvete, copo de requeijão e vasilha de isopor, não se preocupe. Nas próximas páginas você vai ver como dá MUITO menos trabalho cuidar das verdinhas se elas forem plantadas juntas num único vaso grande.

O ESPAÇO ESTÁ TODINHO CIMENTADO?

Se o lugar tem escoamento de água e estrutura em boas condições, sem infiltrações nem rachaduras, avalie a possibilidade de construir canteiros elevados. No capítulo 8 há dicas de como montar e usar essas estruturas muito mão na roda num projeto paisagístico.

O QUINTAL ENORME SÓ TEM GRAMA?

Esse é o cenário mais otimista. Um gramado amplo permite que você crie caminhos, áreas de estar, cantinhos de observação e outras soluções charmosas, como mostro a partir da p. 216. Por que ter um quintal sem graça quando há milhões de possibilidades pra explorar?

A terra esconde um monte de surpresas.

Terra é um conjunto de características físicas
(os minerais que a compõem, o tamanho dos grãos),
químicas (seu pH e nutrientes)
e biológicas (todos os zilhões de seres vivos que vivem ali)
onde as plantas se desenvolvem.

Nem tudo é terra

AREIA: deixa a terra mais seca e melhora a textura de solos que alagam com facilidade.

ARGILA EXPANDIDA: usada no fundo do vaso, evita que a água empoce nas raízes.

SEIXO DE RIO: pode ser usado como a argila ou na decoração de vasos e canteiros.

SUBSTRATO PRA MUDAS: conhecido como "terra preta", é o material mais comum para plantar.

SUBSTRATOS ESPECIAIS: têm composições específicas pra orquídeas, samambaias, suculentas e por aí vai…

VERMICULITA: ajuda a manter a terra úmida por mais tempo sem encharcar a planta.

ESFAGNO: cria uma área de alta umidade, boa pras orquídeas enraizarem.

COMPOSTO ORGÂNICO: material fértil, também chamado de "terra vegetal", gerado a partir da decomposição de restos de galhos, folhas, frutas, verduras e legumes, além da casca dos ovos.

HÚMUS DE MINHOCA: adubo orgânico mais comum, literalmente cocô de minhoca! o.0

ESTERCO CURTIDO: o mais popular dos adubos, pode ser de vaca, frango, cavalo, morcego…

BOKASHI: difícil de encontrar, é, de longe, o adubo orgânico mais completo que existe.

ADUBOS MINERAIS: os "NPK" podem ter macro e micronutrientes sintetizados em laboratório.

CASCA DE PÍNUS: pedaços do tronco de pinheiros que servem pra decorar vasos e canteiros.

COBERTURA VEGETAL: aparas de grama, folhas secas, cavacos de madeira e outras palhinhas secas e duras postas na superfície da terra pra protegê-la de pragas, segurar o adubo e a umidade e manter a temperatura do solo mais estável.

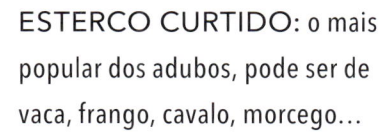

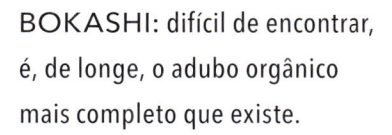

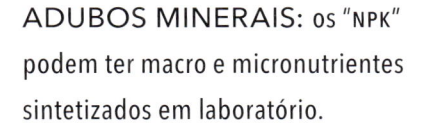

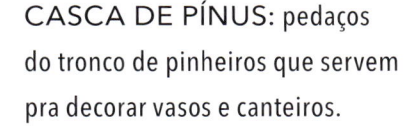

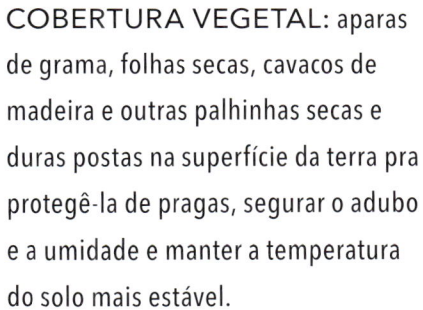

palito
com
rolha

pincel
grande

pincel
pequeno

tesoura
de desbaste

arame

tesoura
de poda

tesoura
longa
de desbaste

tesoura
de bonsai

pá rasa

A turma do serviço pesado

A menos que esteja nos seus planos abrir uma empresa de paisagismo, você não vai precisar de todas as ferramentas listadas aqui – talvez seja mais fácil emprestar de um amigo ou alugar as mais caras. Aliás, se nunca tiver pegado numa enxada, vale a pena contratar um jardineiro não só pela experiência que ele possui como pra ajudar no serviço pesado.

pá
funda

faca

picareta
pequena

rastelo
pequeno

sacho
pequeno

pá de
jardinagem

Ver um bom profissional trabalhando é sempre muito inspirador!
Não se esqueça de que algumas ferramentas exigem equipamentos de
proteção individual (EPIs) – nos garden centers, os vendedores podem
orientá-lo quanto a luvas, óculos e outros acessórios necessários.

PRA USAR NO PLANTIO

PÁ: cava e incorpora terra, adubo e substrato.

ENXADA: capina, limpa o terreno, retira raízes e mistura a terra.

ENXADÃO: faz o mesmo que a enxada, mas possui uma lâmina que vai mais fundo.

VANGA (OU PÁ RETA): acerta canteiros e corta fibras como raízes e tapetes de grama.

CAVADEIRA: faz buracos e, ao mesmo tempo, retira a terra de dentro deles.

PRO DIA A DIA NUM JARDIM

TESOURA DE DESBASTE: ajuda na poda e colheita de caules finos como palitos de dente.

TESOURA DE PODA: corta e dá forma a caules da espessura de uma caneta.

PODÃO OU PODADOR DE ARBUSTOS À BATERIA: conduz o crescimento e dá acabamento a arbustos e trepadeiras.

RASTELO: revolve a terra, retira folhas caídas e nivela canteiros.

ANCINHO: varre superficialmente, recolhendo folhas secas e galhos finos.

ROÇADEIRA: apara o gramado (os modelos a bateria são leves e silenciosos).

MANGUEIRA TRANÇADA: ajuda no transporte de água, tem proteção UV, não dá nó nem racha se ficar no sol.

PISTOLA MULTIFUNÇÃO: regula a saída de água. Prefira as com trava de acionamento e vários tipos de esguicho.

PRA VASOS E ÁREAS PEQUENAS

REGADOR: se tiver muitos vasos, seu melhor amigo será o regador de bico fino.

SACHO: afofa a terra, faz sulcos pequenos e ajuda a misturar substrato e adubo.

PAZINHA: também chamada de "colher de jardineiro", carrega materiais variados.

PULVERIZADOR DE PRESSÃO ACUMULADA: porque borrifador é coisa de amador...

Você pode substituir a pazinha por suas mãos!

PRA QUINTAIS E ÁREAS MAIORES

KIT DE ASPIRAÇÃO: aspira e tritura galhos e folhas secas, que ficam guardados num saco.

SOPRADOR: ajuda a juntar folhas secas e gravetos caídos. É movido a bateria ou gasolina.

PULVERIZADOR COSTAL: ideal pra passar remédio, inseticida e adubo foliar nas plantas.

CORTADOR DE GRAMA: bem maior do que a roçadeira, pode ser elétrico ou a gasolina.

PRA JARDINEIROS BEM ATIVOS

MOTOSSERRA: corta galhos e poda árvores. Está disponível em vários tamanhos e pode ou não ser a bateria.

PERFURADORA DE SOLO COM BROCA DE PLANTIO: faz buracos num chão duro em poucos segundos!

Pra responder antes de cavar

Calmalá, verdinho! A esta altura, sei que você deve estar cheio de brinquedos pro seu quintalzão ou fervilhando de ideias pra cantinhos, mas peraí! O chão esconde um monte de surpresas que vão minar sua boa vontade em segundos se não estiver preparado pra elas – ou pior, podem causar acidentes! Isso sem falar que encontrar animais de estimação enterrados no quintal é mais comum do que você imagina...

Pra não ser pego desprevenido, faça um bom planejamento, estude a planta baixa do lugar e, se precisar, converse com o proprietário do imóvel ou um antigo morador. Vizinhos também podem dar boas pistas, especialmente aqueles que têm jardins bem cuidados (sinal de que alguém já andou revolvendo a terra por ali). Antes de sair cavando como um lobo feliz, bora entender esse campo minado?

QUEDÊ O ENCANAMENTO?

Estourar canos de água é um erro clássico cometido logo nas primeiras enxadadas. Mapeie-os e se prepare pra achar outros, às vezes desativados – porque sempre há uns por aí...

A FIAÇÃO ELÉTRICA TÁ FORA DE ALCANCE?

Estudar detalhadamente a planta baixa do lugar evita choques e curto-circuitos que podem terminar em acidentes graves. Desligue o disjuntor, desvie dos fios e use botas com sola de borracha.

TEM FOSSA OU CAIXA DE GORDURA?

Você vai ouvir a pá bater no concreto ao encontrar, sem querer, uma fossa desativada ou uma caixa de gordura. Tô aqui torcendo pra você não ter esse tipo de problema. Dá uma trabalheira pra contornar...

Se o solo estiver duro, regue em abundância alguns dias antes de trabalhar nele.

PASSARAM ALGUM VENENO NA TERRA?

Taí o motivo que levou seu primeiro jardinzinho a óbito: o morador anterior exagerou nos adubos ou passou mata-mato sem dó. Nesses casos, a única solução é substituir a maior quantidade possível de terra envenenada por uma não contaminada.

QUAL A PROFUNDIDADE DO CANTEIRO?

Ouviu um "tléc" no começo do trabalho? Epa! Será que o lugar tem mesmo profundidade pra sustentar aquela jabuticabeira que você tanto queria? Se houver menos de cinquenta centímetros de solo pra cavar, árvores e arbustos vão ter de morar em vasos.

O QUE ACONTECEU COM OS RESTOS DE OUTRAS OBRAS?

Este é um caso comum em casas recém-construídas ou reformadas: não importa quantas caçambas você contrate, sempre haverá entulho enterrado nos canteiros. Descarte tijolos, vergalhões e todo resto de obra que encontrar.

TEM MAIS ALGUMA COISA ENTERRADA NA ÁREA?

Você vai achar de tudo – de brinquedos a animais, passando por restos de laje, vigas e outras "surpresas" –, mas nunca um baú cheio de ouro, vai por mim… Certifique-se de que o terreno está mesmo livre pra ser cavoucado.

A VEGETAÇÃO EXISTENTE TEM RAÍZES GRANDES?

O.k., não tem tijolo enfiado no meio da terra, mas é impossível cavar mais de dez centímetros sem dar de cara com uma raiz grossa? Xi… Se houver uma árvore grande na vizinhança, seu jardim precisará de ajuda profissional.

VOCÊ VÊ MUITAS PEDRAS AO CAVOUCAR UM CANTINHO?

Ao trabalhar com roçadeiras e outras ferramentas motorizadas, pedras acabam sendo arremessadas pra longe, atingindo o que estiver pela frente. Rochas grandes desgastam rapidamente a ponta das ferramentas e podem estragar a broca da perfuradora de solo.

Em pé de guerra não brota paz

Verdinho, aqui escreve uma mãe experiente de dois gatos e de um pintassilgo criado solto na sala. Ganhei meu primeiro gatinho aos onze anos e nunca mais parei de ter animais de estimação em casa. De lá pra cá, convivi com dezenas de gatos e cachorros nos muitos apartamentos em que morei. Todos os meus bichos morreram de velhice mesmo, nunca intoxicados por plantas. E olha que tive diversas espécies famosas por sua toxicidade, como é o caso da comigo-ninguém-pode ou das samambaias (falo mais sobre elas na página ao lado.

Cheguei à conclusão de que há duas maneiras de enxergar as plantas tóxicas. A primeira se baseia no sentimento de proteção, afastando dos nossos animais tudo o que possa ser um risco. A segunda maneira de olhar pras plantas tóxicas envolve a consciência de que sabemos pouquíssimo sobre elas. Depois de tanto tempo observando a relação dos animais com a natureza, veja seus instintos pra encontrar um capim que ajude a expelir bolas de pelo e sua capacidade de diferenciar as frutas nocivas das comestíveis (e não, as plantas não matam ninguém só de estar no mesmo ambiente).

Cães e gatos de rua dormem à sombra das mesmas azaleias que você gostaria de ter em casa e passeiam sem problemas ao redor daquelas vincas "assassinas". Além disso, muitas folhas nocivas são ruins de comer: podem ser amargas, fibrosas ou ter pelos que causam irritação, o que evita casos graves de intoxicação. Assim, se você tem um bicho potencialmente destruidor e arteiro, deixe as plantas da lista a seguir fora de alcance.

Agora, também sei que bicho detona jardim quando é filhote, ficou doente, está entediado ou bem velhinho. Um cachorro que passe o dia todo trancado sozinho num quintal com certeza descontará a frustração cavando buracos, mordendo galhos ou fazendo xixi no gramado. Gatos presos em apartamentos matam as plantas deitando-se nelas ou, pior, transformando os vasos repetidamente em banheiro, quase sempre como uma forma de chamar a atenção do dono.

Antes de ficar furioso com seu pet, pense bem: quantas vezes descontamos no outro raiva, tristeza ou insegurança mesmo sendo seres superinteligentes, capazes de identificar as próprias emoções? Então, antes de ralhar com seu cão ou gato e desistir do sonhado cantinho verde, aqui vão algumas estratégias "anti" e "pró" bicho de estimação. Seja perseverante porque nem sempre as dicas funcionam logo de cara.

NÃO SE ENVENENE CONTRA AS TÓXICAS

Alamanda (*Allamanda cathartica*)

Amaranto (*Amaranthus sp.*)

Angico-preto (*Piptadenia macrocarpa*)

Asclépias (*Asclepias curassavica*)

Araceae (toda a família)*

Azaleia (*Rhododendron simsii*) e outros rododendros

Bulbosas como lírio (*Lilium sp.*), tulipa (*Tulipa hybrid*), narciso (*Narcissus cyclamineus*) e amarílis (*Hippeastrum hybridum*)

Chapéu-de-napoleão (*Thevetia peruviana*)

Ervilhas em geral (*Lathyrus sp.*)

Espirradeira (*Nerium oleander*)

Euphorbia (todas as espécies)

Ipomeias de qualquer cor (*Ipomoea sp.*)

Íris (*Iris germanica*)

Jatrofa (*Jatropha podagrica*)

Lantana (*Lantana camara*)

Leucena (*Leucaena leucocephala*)

Mamona (*Ricinus communis*)

Mandioca (*Manihot esculenta*)

Saia-branca (*Brugmansia suaveolens*)

Samambaias (todas as espécies)

Trevos (todas as espécies)

* Da família *Araceae* fazem parte as principais folhagens tropicais, como alocásia, aglaonema, filodendros, copo-de-leite, lírio-da-paz, costela-de-adão, comigo-ninguém-pode...

PRA *AFASTAR* CÃES E GATOS DO JARDIM

EVITE ESCAVAÇÕES: dificulte a entrada nos canteiros usando uma tela de galinheiro superficialmente enterrada. Ao tentar cavar, o bichinho vai se enroscar no metal e desistir do lugar.

DIFICULTE O ACESSO: nos vasos, espete palitos de bambu criando uma barricada disfarçada por alguma folhagem graciosa, assim eles não poderão servir de dormitório.

PROTEJA DE FEZES: cubra o solo com uma grossa camada de palha para protegê-lo. Vale usar qualquer material vegetal abundante, como serragem, aparas de grama, folhas secas e casca de pínus.

DILUA O XIXI: flagrou o cachorro urinando no gramado? Ligue o esguicho e molhe bastante a região, diluindo a alta concentração de amônia que há no xixi. Isso evita aquelas características rodelas amarelas na grama.

SUBA O VERDE: animais pequenos terão dificuldade em acessar os vasos se eles estiverem suspensos por ganchos presos ao teto ou às paredes. Atenção a cortinas, prateleiras e móveis escaláveis (tem bicho que é determinado...).

INVISTA NAS PERFUMADAS: alecrim, cipó-alho, falsa-verbena, capim-limão e muitas outras espécies de cheiro forte incomodam o olfato sensível de cães e gatos. Plante grandes touceiras onde não quiser que os bichos cheguem.

FAÇA UM REPELENTE*: em um borrifador, misture partes iguais de vinagre de maçã e álcool comum 70%. Acrescente um punhado de anis-estrelado e outro de canela em pó. Pulverize no substrato (não nas folhas) pra evitar focinhos xeretas.

Este repelente não faz mal nem pra bichos, nem pras plantas e pode ser conservado por anos se guardado num local seco e escuro.

CONSTRUA BARREIRAS: quanto maior o cachorro, mais força e energia pra destruir as plantas. Avalie a possibilidade de isolar o jardim com alambrado coberto por trepadeiras, uma grade bonita ou um portão de ferro gracioso.

PLANTE CERCAS VIVAS: agave ou iuca, plantadas bem adensadas, podem demorar pra crescer, mas, depois de adultas, criam um muro verde intransponível: nada passará por ali, nem mesmo pensamento! #corpofechado

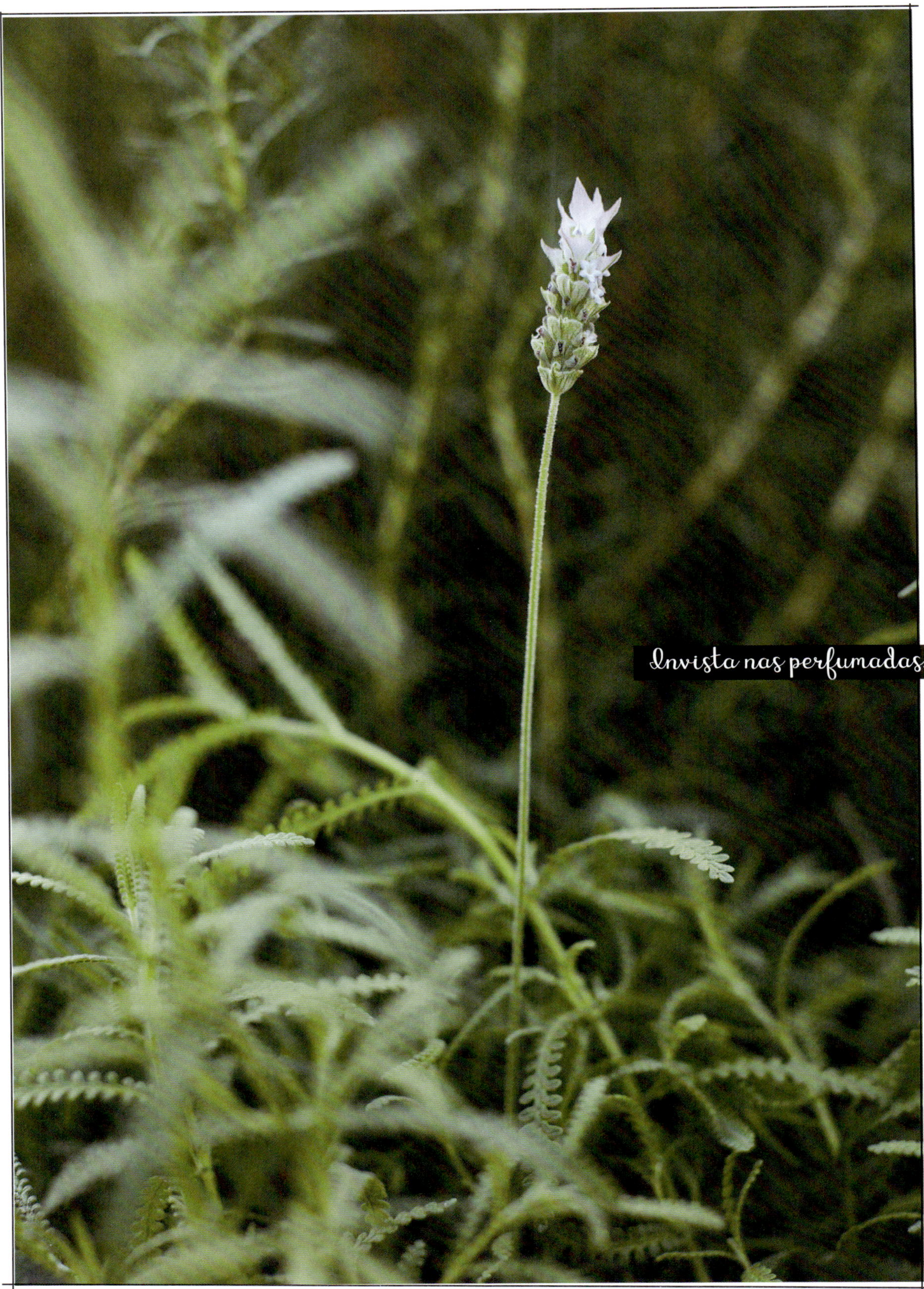

Invista nas perfumadas.

Demonstre afeto quando
estiverem juntos no jardim!

PRA *INCLUIR* CÃES E GATOS NO JARDIM

GASTE A ENERGIA (DELE!): Leve seu cachorro pra passear todos os dias de acordo com as necessidades dele. Vale criar um revezamento em família em prol de um bicho mais feliz e saudável, convivendo pacificamente com o jardim.

PERMITA A VISTORIA: Chegou da rua com plantas? Ponha no chão e deixe que seu pet cheire SOB SUPERVISÃO. Tente não ficar tenso se ele fizer menção de mordiscar algo: um sonoro e curto "não!" vai desanimá-lo a prosseguir.

PLANTE O QUE MASTIGAR: Semeie alpiste, trigo ou milho de pipoca e ofereça a cães e gatos pra eliminar bolas de pelo. Prepare mais mudas à medida que as primeiras forem sendo comidas, pra que tenham sempre graminha fresca.

CRIE ENTRETENIMENTO: Um biscoito grande preso dentro de uma garrafa PET com furos pequenos ou uma bola cheia de petiscos que precisa parar com o furinho virado pra baixo são brinquedos bons pra entreter bichos destruidores.

DEIXE O BANHEIRO LIMPO: Taí uma lei secreta dos bichos: "Se eu fiz xixi e ninguém limpou é porque... pode!". Então, seja rápido e eficiente ao limpar a sujeira do jardim. E planeje um lugar que possa virar banheiro numa boa.

INSPIRE CALMA: Nada é mais importante pro seu animal de estimação do que o seu carinho. Demonstre afeto quando estiverem juntos no jardim ou no cantinho verde, deixe que seu pet o veja calmo e ele também ficará tranquilo.

CONSTRUA ESCONDERIJOS: brincar em contato com a natureza é gostoso pra todo mundo, inclusive pro seu cão ou gato. Crie cabaninhas, áreas escondidas ou troncos que possam ser escalados com segurança, ele vai amar!

PENSE NO CONFORTO: sol e sombra fresca, um lugar macio pra dormir, proteção contra vento, um mirante pra ver longe... Um jardim deve ter áreas confortáveis não só pra seres humanos, mas também pros bichos de estimação.

ADESTRE SEU CÃO: dizem que gatos também podem ser adestráveis (du-vi-do), mas cachorros com certeza o são. Pode parecer um investimento alto, mas quanto custou construir seu jardim com cada plantinha rara que você queria?

Dicas de ouro
pra um oásis verde

PRESENTEIE OS CINCO SENTIDOS

Embora a visão, normalmente o primeiro sentido que usamos, seja muito "exibida", ela não é a única impactada por uma área verde. Se pensado pros cinco sentidos, um jardim pode se transformar num manancial de sensações. Pra estimular o olfato, inclua no projeto plantas com folhas, flores ou troncos perfumados. Áreas de sol e sombra, grama macia ou seixos frios e arredondados são recursos táteis explorados por pés, mãos e pele. Fontes e comedouros atraem pássaros que emitirão sons deliciosos pros ouvidos e, se acrescentar horta ou espécies frutíferas, o paladar terá seu próprio banquete pra explorar!

EMPRESTE O VERDE DO VIZINHO

Não estou falando de sair pedindo mudas e sementes pela vizinhança – embora eu tenha feito, faça e recomende muito essa boa prática! Aqui, a ideia de "emprestar o verde" é bem diferente. Observe as paisagens naturais interessantes que há ao seu redor, especialmente perto dos limites do seu espaço. O vizinho tem uma árvore muito alta e bonita próxima do seu muro sem graça? Plante algum arbusto cheio e comprido, num tom de verde semelhante ao da árvore, e perceba como ela vai parecer um prolongamento da sua. Melhor ainda se o muro for pintado de preto ou verde-musgo, potencializando a ilusão de ótica.

ESCONDA O FEIO COM O BELO

Cobrir uma viga estrutural, disfarçar a caixa de luz, esconder uma entrada de serviço, conduzir por um caminho, refrescar um cômodo quente, melhorar a vista… As verdinhas se prestam a tantos usos que a gente pode achar que fazem mágica, mas não é bem assim. Usá-las pra valorizar um espaço só vai funcionar se você respeitá-las. Garagem escura, hall de elevador no breu e saída quente de ar-condicionado, por exemplo, são assassinos de plantas, então busque outras soluções para esses espaços ou trabalhe com plantas artificiais (há modelos MUITO realistas e de qualidade, tijuro!).

Desenhando com plantas

Ninguém entendia mais de desenhar um jardim como quem pinta um quadro do que o paisagista Roberto Burle Marx – que não à toa também era artista plástico. Responsável por projetos icônicos, como o Aterro do Flamengo, no Rio de Janeiro, a cobertura do Banco Safra, em São Paulo, e a Praça de Casa Forte, em Recife, ele usava as cores e os formatos das plantas pra criar composições que, vistas de longe, se pareciam com pinturas abstratas.

Um dos truques de Burle Marx é pensar primeiro a forma, depois a planta. Os padrões naturais se repetem com frequência, assim, é possível substituir um buxinho, por exemplo, por uma outra espécie arbustiva de copa arredondada, como o pitósporo. Precisa de uma folhagem tropical de folhas largas, mas não acha helicônias? Tente bananeira ou gengibre. Quer uma plantinha baixa e púrpura, mas a hera-roxa não vai aguentar tanto sol? A trapoeraba-roxa é igualmente rasteira e vai bem até na praia.

Pra facilitar sua vida de paisagista iniciante, aqui vão alguns exemplos de formatos e texturas mais comuns das plantas (traduzidos pro idioma carolíngio :P). Com treino, você vai ser capaz de encontrar centenas de outras espécies que se encaixam nessas descrições.

Os formatos podem mudar de acordo com a idade da planta e o estilo de poda feita na copa.

FORMAS GERAIS	PORTE GRANDE	ARBUSTOS OU TREPADEIRAS	FLORES	FOLHAGENS
REDONDO pitósporo	jabuticabeira, árvore-da-pataca, neve-da-montanha	buxinho, pitósporo, minipitanga	dália, crisântemo, hortênsia	licuala, dasilírio, *Calathea orbifolia*
TRIANGULAR pinheiro	pinheiro, jambeiro, fícus-triangular	tuia, palmeira-triangular, afelandra-coral	íris, primavera, clerodendro-perfumado	begônia, peperômia, falsa-vinha
COMPRIDO bambu	bambu, kaizuka, árvore-mastro	viburno, palmeira, podocarpo	arnica, orquídea-bambu, cipó-de-são-joão	cavalinha, maranta-peluda, maranta-cascavel
LARGO sete-léguas	cocoloba, flamboyant, algodoeiro-da-praia	fícus-lirata, pariparoba, uva-rosa	*Vanda*, sete-léguas, *Phalaenopsis*	lótus, asplênio, curcúligo
PONTUDO espada-de-são-jorge	iuca, cróton, dragoeiro	norântea, piteira, dracena-tricolor	moreia, estrelítzia, falsa-érica	fórmio, espada-de-são-jorge, maranta-tricolor
CAÍDO chorão	chorão, astrapeia, falsa-aroeira	hibisco-colibri, mussaenda, acálifa-macarrão	russélia, jade-vermelha, sapatinho-de-judia	zâmia, columeia, chifre-de-veado
EM TUFO escova-de-macaco	nandina, bambu-metake, cana-flecha	avelós, triális, escova-de-macaco	biri, caliandra, crino-branco	*Cymbidium*, capim-limão, íris-da-praia
ESPIGADO viuvinha	lofântera, viuvinha,	limonete, camarão-branco, cana-de-macaco	lavanda, crossandra, *Epidendrum*	vriésia, dianela, gusmânia

Na planta florida, o foco do projeto fica na floração, mas não se esqueça das mudanças ocasionadas pelas diferentes estações do ano.

FORMAS MENOS COMUNS	PORTE GRANDE	ARBUSTOS OU TREPADEIRAS	FLORES	FOLHAGENS
EM LEQUE calateia	gunera, bismárckia, árvore-do-viajante	*Calathea lutea*, palmeia-leque, orelha-de-elefante--gigante	flor-canhota, tilândsia-azul, bico-de-papagaio	zedoária, café-de-salão, palmeira-metálica
ESCULTURAL jade azul	paineira, pau-mulato, abricó-de-macaco	pândano, palmeira-garrafa, jasmim-manga	jade-azul, bastão-do-imperador, *Heliconia rostrat*	pulmão-de-aço begônia-cruz-de-ferro, *Pilea peperomioides*

TIPOS DE TEXTURA	PORTE GRANDE	ARBUSTOS OU TREPADEIRAS	FLORES	FOLHAGENS
BRILHANTE	fícus, cheflera, mangueira	cicas, clúsia, gardênia	antúrio, camélia, lírio-do-amazonas	imbé, alocásia, zamioculca
OPACO	ipê, oiti, quaresmeira	congeia, orelha--de-onça, dama-da--noite-arbustiva	gloxínia, violeta-africana, véu-de-noivazâmia,	coleus, *Siderasis*, *Scindapsus*
PLUMOSO	areca, pleomele, capim-bambu	bambu, *Chamaedorea*, gengibre-magnífico	tango, capim-do-texas, capim-dos-pampas	mil-cores, minibambu, aspargo-alfinete
RENDADO	xaxim, grevílea, árvore-samambaia	guaimbê-sulcado, amor-agarradinho, árvore-da-felicidade	cosmo, centáurea, flor-de-natal	avenca, melindre, renda-portuguesa

MAIS TEXTURAS?

Procure folhas, caules, flores e troncos recortados, furados, rasgados, espinhosos, peludos, plissados, ondulados, enrugados, enrolados...

O verniz que dá brilho às folhas também altera a nossa percepção da cor delas, cobrindo-as de reflexos prateados.

Nem só de verdes se faz um jardim

Se a gente pensasse a paisagem que quer construir como enxergamos as roupas no nosso armário, o verde seria o jeans nosso de cada dia. Está presente na vida de qualquer pessoa, seja homem ou mulher, criança ou adulto, e pode variar em lavagem, caimento e tamanho, de uma camiseta básica a uma calça de alfaiataria. No paisagismo, o verde é a cor universal, a base de realce ou disfarce de todos os integrantes do espaço.

OS VERDES	VERDE-CLARO	VERDE-LIMÃO	VERDE-VIVO	VERDE-AZULADO
PORTE GRANDE	fícus-variegado, pleomele-variegada, figueira-triangular-variegada	areca, tuia-limão, *Chamaedorea*	viburno, nandina, fícus-lirata	iuca, pândano, cipreste
ARBUSTOS OU TREPADEIRAS	alecrim, mil-cores, pitósporo-variegado	clúsia, buxinho, árvore-da-felicidade	murta, bananeira, planta-arame	cicas, ráfis, ravenala
FOLHAGENS	café-de-salão, peperômia-melancia, maranta-zebrada	jiboia, evônimo, fitônia*	curcúligo, falsa-vinha*, costela-de-adão	alocásia, antúrio-clarinervium, samambaia-do-amazonas
RASTEIRAS	liríope, clorofito, trapoeraba-peluda	brilhantina, musgo-bola, barriga-de-sapo	hera*, dólar, mil-folhas	juga, grama-preta, maranta-bigode-de-gato

Há outras variedades de cor

Mas os verdes não são todos iguais – aliás, diferem tão lindamente entre si que você pode fazer um projeto todinho só com essa paleta de cores, brincando com texturas, tamanhos e formatos, como os japoneses fazem há milênios. S2 Não bastassem essas possibilidades, existem verdes "estampados"! Tem folha com pintinhas, bolinhas, nervuras, manchados, respingados, listras e muitas outras padronagens espetaculares, coisa que faz pirar o cabeção de qualquer fã de *urban jungle*.

AS CORES QUENTES	AMARELO	LARANJA	VERMELHO	ROXO	MARROM
PORTE GRANDE	ipê*, lofântera, manduirana	grevílea, espatódea, escova-de--macaco	mulungu, flamboyant, bico-de--papagaio	quaresmeira, jambeiro-rosa, ipê-roxo-de-bola	
ARBUSTOS OU TREPADEIRAS	afelandra, chapéu-chinês, suzana-dos--olhos-negros	sanquésia, flor-de-pavão, cipó-de-são-joão	odontonema, capota-vermelha, coração--sangrento	escudo-persa, orelha-de-onça, manacá-de--cheiro	acálifa, leia-rubra, leiteiro-vermelho
FOLHAGENS	neoregélia*, pingo-de-ouro, clúsia-variegada	lumina, ora-pro-nóbis, cróton*	ácer, fotínia, confete	iresine, cordiline, trapoeraba-roxa	fórmio-roxo, cordiline-chocolate, capim-rubro--do-texas
RASTEIRAS	pluma, mini-rosa*, mini amor--perfeito*	semânia, calanchoê*, onze-horas*	rabo-de-gato, planta-tapete, cravina	perpétua, violeta--verdadeira, ajuga	musgo-vermelho, violeta africana*, fitônia
FLORES	triális, lisimáquia, chuva-de-ouro	biri*, tagetes*, capuchinha*	dália*, ixora-rei, malvavisco	*Dendrobium*, orquídea-grapete, amor-perfeito*	papo-de-peru, cacto-estrela, *Quisqualis indica*
SUCULENTAS	carpete-dourado, sedum híbrido*, cacto-Mickey--Mouse		*Echeveria* "Romeo", *Phedimus* "Voodoo", orelha-de-elefante		sedum-rubro, colher-de-cobre, *Euphorbia tirucalli*

Há outras variedades de cor

AS CORES FRIAS	BRANCO	CINZA	ROSA	AZUL E LILÁS	PRETO
PORTE GRANDE	astrapeia*, jasmim-manga*, neve-da--montanha		resedá, ipê-rosa, manacá-da-serra		*Ficus elastica* "Burgundy"
ARBUSTOS OU TREPADEIRAS	jasmim, camélia*, gardênia	mil-cores*, limonete, chuva-de-prata	espirradeira*, sete-léguas, bastão-do--imperador*	clitória, hortênsia*, azulzinha	
FOLHAGENS	cinerária, maranta-tricolor, *Peperomia scandens*	vaso-prateado, peixinho--da-horta, samambaia--prateada	tinhorão*, aglaonema*, begônia "Beleaf"*	eucalipto	bromélia "Black", inhame-roxo, alocásia "Black Velvet"
RASTEIRAS		lambari, tapete-inglês, asa-de-anjo		sálvia-azul, corda-de--viola*, violeta--verdadeira	grama-negra, ipomeia "Black", pimenta--ornamental*
FLORES	gengibre-concha, lírio-da-paz, flor-do-guarujá		rosa*, pentas*, azaleia*	agapanto*, petúnia "Sky Night", flor--canhota*	calla-negra*, antúrio "Black", flor-de-cera-preta
SUCULENTAS		*Sedum*, dedinho--de-moça, *Kalanchoe fedtschenkoi*		senécio-azul, *Echeveria lilacina*, *Peperomia caperata*	*Aeonium* "Dwarf Black", *Echeveria* "Black Prince", *Echeveria* "Hot Chocolat"

* Há outras variedades de cor

Existem raríssimas plantas negras: olhando de perto, você verá que a maioria é de um tom vinho ou marrom bem escuro.

Agora que você está com a alma verde, abra espaço no coração porque há uma infinidade de cores a serem exploradas em folhas, flores, frutos e troncos. Há plantas com tonalidades mais ou menos vivas, outras misturam duas, três ou mais cores numa mesma flor – como na SURREAL estrelítzia, que é laranja, lilás, branco, azul e verde, #tudojuntoemisturado –, e há as que criam degradês, verdadeiras aquarelas, caso de muitas espécies de lírios, rosas, violetas e orquídeas. Isso sem falar nas verdinhas que podem mudar de cor à medida que o tempo passa, variar de tonalidade em resposta ao frio ou ao calor, intensificar a coloração em função das horas de sol recebidas, apresentar folhas novas mais claras (ou numa cor completamente diferente!)... Suspeito de que as plantas possam até trocar de roupa só porque deu na telha sair de casa de outro jeito. Tipo gente.

COMPOSIÇÃO PRA INICIANTES

"Como junto as plantas pra ficar bonito?" Toda semana recebo uma dúvida dessas nas minhas redes sociais. Muitas vêm de pessoas craques na jardinagem, mas inseguras pra escolher acabamentos de vasos, combinar espécies ou resolver a complexa equação "o que desejo versus o que é possível". Se você também se sente sozinho, me dá a mão que vou mostrar uma formulinha tiro-e-queda pra despertar o paisagista que há aí dentro. O esquema é BEM básico e simples de aplicar. Vá aumentando o número de plantas à medida que se sentir mais confiante.

No passo a passo "Plantio sem treta" (p. 76), dá pra identificar facilmente este esqueminha, ó:

(3 alturas + 3 formas + 3 texturas + 3 cores + 1 enfeite)

3 alturas

Lirio da paz

Begônia

3 formas

Lambari

3 texturas

3 cores

1 enfeite

RAIO X DA COMPOSIÇÃO CAROLÍNGIA

Os projetos aqui do livro parecem muito mais complexos do que essa fórmula, como você verá a partir do capítulo 2, mas são pensados usando a mesma lógica, apenas aumentei o número de cada item. Se o ambiente é muito grande, crie grupos menores dentro do projeto e pontue os grupos separadamente. O mesmo serve pra lugares com muitos vasos: quanto mais plantas juntas, maior a importância de mesclar formatos, texturas alturas e cores, pra que uma ajude a realçar o que há de mais bonito na vizinha.

Com a prática, você sentirá vontade de exercitar outras formas de organização da paisagem – e eu, do lado de cá, vou morrer de orgulho de ver essa sua evolução verde!

① **TEXTURAS:** Quanto mais a gente exercita o olhar, mais tesouros vê por toda parte. Como já mostrei, existem plantas brilhantes e opacas, com e sem pelinhos, de folhas rasgadas, furadas, plissadas, enrugadas, franjadas ou cheias de espinhos esculturais. Dureza vai ser ficar só em três texturas pra valorizar o projeto… Quanto menor o espaço, mais importante é não exagerar, tá? #ficaadica

② **ALTURAS:** Divida o ambiente em camadas: das plantas maiores pras mais baixas e do fundo pra frente. Escolha uma espécie alta, uma média e uma rasteira. Entre as compridas, valem árvores, palmeiras, arbustos, trepadeiras em suportes ou longas verdinhas pendentes. Já o tamanho intermediário não funciona apenas com as plantas de porte médio, mas também com as de porte pequeno elevadas em tripés ou vasos altos. E a camada das rasteiras? Dez em cada dez jardineiros amadores resolvem com… grama. Funciona? Claro que sim, mas existem centenas de plantas baixinhas – forrações, de no máximo trinta centímetros de altura –, que oferecem cores e texturas muito mais interessantes. Distribua as grandes atrás, as médias no meio e as baixinhas na frente.

Os paisagistas chamam de volumetria a ideia de projetar em vários planos, usando plantas de alturas diferentes.

3

CORES: Depois de estudar as combinações cromáticas das páginas 66 a 71, você até já sabe, mas, pra ficar mais mastigadinho, nos próximos capítulos deixei em destaque a escala de cores de cada projeto. Não use como uma amarra, verdinho! É mais um ponto de partida do que uma verdade absoluta. Não achou a planta naquele tom? Tente outro ou mude a espécie. Nas listas a partir da p. 232 há dezenas de sugestões e nos garden centers e floriculturas é possível encontrar muitas outras variedades. Se joga!

5

ENFEITES: É aqui que as pessoas exageram quando não planejam bem a composição: em vez de valorizar as verdinhas, abarrotam o jardim de gnomos de gesso, garças de metal, bancos adornados, vasos com forma de pessoinhas e canteiros criados em pneus coloridos. Não há nada de errado em decorar seu cantinho verde, mas lembre-se de que quanto mais objetos incluir, menos o olhar recairá nas plantas... até ele virar uma grande bagunça visual. A seguir, falo mais sobre enfeites. ;)

4

FORMAS: Quando conversamos sobre desenhar um jardim como se pinta um quadro (lá na p. 62), você viu que há plantas redondas e pontudas, largas e compridas, com folhagem espetada e caída, lembra? Essas formas também podem ser combinadas no desenho dos canteiros, no modelo dos vasos e até mesmo no tipo de revestimento escolhidos: há pedras pontudas, como britas e granilhas, e outras arredondadas, como os seixos de rio. Eleja três formas diferentes pra sua composição, pensando em vasos, acabamentos e plantas – destacando o todo ou apenas uma parte (flores, folhas, tronco...).

Plantio sem treta

passo a passo

Aqui vai um manual com tudo o que você precisa saber pra plantar, seja no chão ou em vasos. Não importa a espécie, o passo a passo se repete: cavar, fazer um leito com terra, adubo e substrato, posicionar o torrão, completar, firmar, cobrir com palha e regar em abundância. O que muda é o tempo de vida da planta – algumas espécies ficam vivas por décadas (as perenes), enquanto outras, muito coloridas e vivazes (as anuais), precisam ser substituídas dentro de alguns meses.

A palmeira empresta altura ao projeto, o lírio-da-paz tem flores, a begônia-cruz-de-ferro traz textura e o lambari-roxo colore a composição!

INGREDIENTES

1 *Chamaedorea elegans* de 1 m

6 lírios-da-paz (pote 15)

5 begônias-cruz-de-ferro (pote 15)

1 lambari (*Tradescantia zebrina*) (cuia 21)

1 tronco torto de mais ou menos 80 cm

160 kg de substrato pra mudas

11 kg de Bokashi (ou 10 kg de húmus de minhoca)

15 kg de casca de pínus de tamanho médio

FERRAMENTAS

Consulte as recomendadas na p. 48

MODO DE FAZER

1. Com pá, vanga e cavadeira, limpe a área de plantio.
2. Faça um esboço: posicione as plantas conforme o desenho final que espera obter.
   Plante sempre em zigue-zague: isso vai gerar um resultado mais natural quando as plantas crescerem.*

ver na p. 109

Rendimento:
elogios de jardineiros profissionais ;)

Validade:
o quanto durar a verdinha escolhida

Estude o tamanho que a planta vai ficar quando adulta pra calcular o espaço de que as raízes precisarão e a distância entre uma muda e outra.

MODO DE FAZER *(continuação)*

3. Comece pelas mais altas, que vão ficar no fundo do canteiro: cave o solo pra fincar a *Chamaedorea*, abrindo *espaço suficiente pras raízes crescerem*, tanto nas laterais quanto embaixo do torrão. Neste exemplo, fiz um leito (nome técnico do "buraco onde plantar") de uns 40 cm de profundidade.

4. No fundo do leito, ponha um pouco da terra que já estava ali somada ao substrato pra mudas e ao adubo – um punhado de Bokashi ou dois de húmus por leito, misturando bem. Essa caminha fofa e adubada vai incentivar as raízes a explorarem a casa nova, eba!

5. Retire a *Chamaedorea* do vaso dando *batidinhas na lateral* – isso ajuda o torrão de raízes a sair inteiro – e, segurando a planta pela parte inferior do caule, puxe-a e encaixe-a no canteiro.

6. Complete o leito com a mesma mistura de terra, substrato e adubo (Bokashi ou húmus, *nunca use os dois juntos, pode queimar a folhagem*).

MODO DE FAZER *(continuação)*

7. Usando as mãos, firme a terra ao redor do colo da planta (a parte mais pertinho da terra), *criando uma suave depressão* pra ajudar a água das chuvas ou da rega a chegar rápido às raízes.

8. Repita o procedimento até plantar todos os lírios e begônias, mantendo um palmo de distância entre eles. Esse espaçamento pode dar ao jardim um ar meio ermo no começo, mas logo as plantas se expandem e preenchem os vãos. *Aglomerar as verdinhas pode sufocá-las* e impedi-las de crescer.

9. Posicione o tronco do jeito que achar mais bonito. Esconda uma das pontas pro centro do projeto e deixe apenas uma das partes visíveis, pra um efeito mais natural de galho "caído".

10. Plante o lambari, espalhando alguns ramos pelo chão pra que enraízem facilmente embaixo das begônias.

11. Pra finalizar o canteiro, decore com uma grossa camada de casca de pínus e regue tudo em abundância.

Molhe bem nas primeiras semanas depois do plantio!

REGA MODO NINJA

A cena é triste, mas muito comum: desde que o jardinzinho ficou pronto, as plantas não param de ficar feias e secam até morrer. #socorrocarol! Você fez uma boa leitura do espaço, escolheu certinho as espécies usando as listas do capítulo 9, cavou os leitos caprichosamente, protegeu a terra com cobertura vegetal e… esses seres clorofilados ingratos só reclamam? Opa, segura a revolta aí que o diagnóstico é límpido como água: tá faltando rega.

Ao mudarem de casa, as plantas sofrem um baita estresse. Raízes se quebram, folhas amassam, galhos entortam e flores caem aos montes. Esse processo traumático vai deixar menos sequelas se, assim que terminar o plantio, o jardineiro esperto regar tudo em abundância. Mas isso raramente acontece.

Depois de gastar o sabadão na enxada, debaixo de sol, agachando e levantando, a gente termina de plantar e já está escurecendo. O lugar ainda não se parece em nada com a foto do livro: há terra em tudo que é canto, vasos e sacos pra guardar, ferramentas sujas e plantas com pontas de ramo molengas. (Psiu! Lembra da aula de plantês? As verdinhas tão dizendo "tô com sede", saca os bracinhos murchos!)

Com tanto trabalho pela frente, é supercompreensível adiar a rega ou molhar rapidinho. Daí, a turma que já tá #chateada vai passar mais umas doze horas sem hidratação porque você, morto de cansaço, vai acordar tarde no domingo. No que a gente se levanta, animado, e vai apreciar o jardim, já tem planta seca! O que qualquer um faz nessa hora? Corre pra molhar NO SOL FORTE. Resultado: metade da água evapora direto do solo, antes de passar pelo corpinho da planta.

Então, querido leitor, daqui pra frente seu lema será: plantou, regou. Mire o esguicho na terra – a cobertura vegetal vai impedir que vire uma meleca – e molhe como se não houvesse amanhã. Pensando bem, molhe de novo amanhã. E depois também. As primeiras semanas são fundamentais pra impedir que as plantas desidratem e estimular as raízes a se firmarem no solo. Se fizer isso, o jardim vai "pegar" rápido e logo as regas poderão ser menos frequentes – nunca menos abundantes. Regue muito agora, pra regar poucas vezes depois. É líquido e certeiro!

Cheio de bonitezas

1. VASOS E CACHEPÔS: Contam com uma imensa variedade de formatos, texturas, cores, tamanhos e modelos. Os materiais vão da pedra ao plástico, passando por corda, barro, feltro, madeira, cimento, cerâmica, fibra de vidro e outros… Vasos e cachepôs conversam diretamente com as plantas: se a folhagem é muito exuberante, prefira um modelo escuro e opaco pra destacá-la, e vice-versa.

2. PISOS E REVESTIMENTOS: O acabamento do chão pode ser feito com pedras, lajotas, tijolos, cerâmicas e muitos outros materiais. Entre os canteiros, é possível usar seixos de diversos tamanhos, pedras brutas ou polidas, casca de pínus em gramaturas variadas e, ainda, folhas secas, cavacos de madeira e bolachas decorativas pra criar caminhos. Por cobrirem áreas grandes, os revestimentos reforçam o tom rústico, clássico ou moderno de um projeto.

3. SUPORTES: Arcos, tripés, biombos, treliças, pergolados, quadros verticais, suportes de teto ou parede são ótimas estruturas pra posicionar espécies pendentes, dar sustentação às trepadeiras ou simplesmente subir vasos com plantas pequenas. Eles podem ser de aço, ferro, corda, bambu, madeira ou uma mistura de vários materiais, mais ou menos decorativos.

4. MÓVEIS: Mesmo pequeno, seu cantinho verde ficará muito mais confortável se tiver um lugar onde você possa se sentar e apreciar as plantas. Bancos, mesinhas, estantes e bancadas de trabalho tornam o ambiente convidativo. Lembre-se de que os acabamentos de cada móvel precisam conversar com a proposta do espaço: desenhos limpos, peças sem brilho e em materiais naturais costumam ser boas escolhas.

5. ESTRUTURAS: Lagos, gazebos, balanços, composteiras, depósito de ferramentas… essas e outras estruturas específicas podem atender a necessidades extras além de desenhar a paisagem, mas requerem espaços mais amplos. Se pretende valorizar uma coleção – de bonsais, orquídeas ou suculentas, por exemplo –, tome-a como ponto de partida e cuidado para não transformá-la num cantinho acessório.

Cachepôs = são feitos para conter vasos.

Vasos = têm furos embaixo. Precisam de suporte.

85

Dicas de ouro
pra comprar plantas

PEÇA PELO NÚMERO

Ao comprar sementes, verifique nas informações do pacotinho se elas estão na validade e se aquele tipo é recomendado pro mês e pra região do país em que você está. Plantas costumam ser vendidas de acordo com o tamanho do vaso: pote, pros mais altos, cuia pros que lembram bacias. Onde estiver escrito "pt. 11", trata-se do pote de onze centímetros de boca, o mais comum pra ervas e suculentas. Samambaias e outras pendentes quase sempre estão em "c. 21" ou "c. 27", cuias de 21 e 27 centímetros, respectivamente. Como usamos muitas mudas de uma vez, forrações vêm em bandejas, embaladas em sacos plásticos, uma a uma. Os arbustos, quando não estão em vasos, são comercializados com o torrão de raízes embalado em juta. Árvores, arvoretas e palmeiras vão pros garden centers em suportes variados, de latas a caixas-d'água, dependendo do tamanho da muda e do produtor, mas são compradas por altura ou diâmetro da copa, não pelo tamanho do vaso. Você vai encontrar tapetes de grama à venda sempre por metro quadrado.

PENSE COMO UMA LAGARTA

Fala sério, se você fosse uma praga, ficaria escondidinha ou na cara do gol? Pois é, se escolheu a primeira opção, já sabe como pensam pulgões, lagartas, cochonilhas, marias-fedidas e outros seres crocantes, que detonam as plantas. Por isso, vire o verso das folhas e observe c-a-l-m-a-m-e-n-t-e se há verruguinhas, grumos brancos, coisas voando ou qualquer sinal de pragas. Pintas, manchas, queimados, cortes estranhos, enrugados e más-formações também devem ser detectados pelos seus olhos de lince. Se for verdade que planta saudável nem sempre faz um jardim bonito, com verdinha doente ou mordida é que você não vai conseguir, mesmo…

CONVERSE COM QUEM FAZ

Bons vendedores são fundamentais pra passar noções de quantos sacos de substrato levar pra plantar X metros quadrados de grama – nos garden centers e viveiros onde compro regularmente, conheço meus atendentes preferidos pelo nome. Essas almas santas respondem com confiança às dezenas de perguntas que faço, sugerem ótimas trocas quando não encontro o que procuro e encomendam o que estiver faltando. Estabeleça uma relação bacana com a floricultura ou o garden center mais próximo e terá um apoio sempre que precisar. Também é super-rico conhecer os produtores da sua região e tirar dúvidas com quem está diariamente no campo e nas estufas.

Olhe com atenção o verso
dos pacotinhos de sementes.

O jardim de amanhã

Se eu fosse resumir o que faz um cantinho verde prosperar, diria que é o olho do jardineiro. Só quem está ali dia a dia é capaz de perceber depressa os sinais de uma planta passando sede, o começo de uma doença fúngica ou os pelotinhos característicos de um ataque de lagarta assim que eles pintam na área. Pra quem ama mesmo plantas, a inauguração de um projeto paisagístico não é o fim – muito pelo contrário, é o começo da jornada de convívio diário com as verdinhas. Aqui vai um roteiro do que observar pra que seu jardim prospere por muitos e muitos anos.

1. USE O DEDÔMETRO

Pode aplicar esta dica em um jardinzão ou naquele vasinho em cima da mesa: ponha o dedo na parte mais superficial do solo e veja se ele sai sujo de terra. Só molhe quando o dedo sair limpinho, sinal de que o substrato está bem seco e precisa de uma nova rega em abundância. Nada de chover no molhado, o.k.?

2. VISTORIE COM OLHOS DE LINCE

Tire uns minutinhos pra examinar as verdinhas com calma. Aquele pelotinho estranho na base da orquídea virou raiz ou está ficando verde, sinalizando haste de flor? Os botões de rosa caíram ainda fechados? Epa, será que tomaram muito vento? Folhas amareladas ou comidas indicam a necessidade de mudanças ou de um help contra pragas e doenças.

3. ADUBE TODO MÊS

Na natureza, as plantas comem todos os dias. Ou melhor, bebem: as raízes absorvem os nutrientes diluídos na água das regas e das chuvas. Adubar mensalmente é o jeito mais prático de criar uma rotina sem precisar virar babá de planta. Prefira os adubos orgânicos e de liberação lenta, que serão absorvidos aos poucos.

4. REMOVA O QUE SECOU

Embora sejam maravilhosas pra encher de cor um ambiente, plantas de ciclo anual perdem a vivacidade em poucos meses e logo sofrem queimaduras de sol ou ficam com uma aparência raquítica. Uma sacada esperta pra trabalhar com essas espécies é reservá-las a uma área pequena e de fácil acesso, facilitando a manutenção.

5. PERCA O MEDO DE PODAR

A hortelã ficou pernuda, com folhas só nas extremidades? O buxinho perdeu o formato redondo que você queria? A cerca viva está fora de controle e virou um emaranhado de galhos? Mandavê e passa a tesoura nesse pessoal. A maioria das plantas reage à poda renovando a folhagem, dando à luz brotos verdinhos, muito mais saudáveis.

Tire uns minutinhos pra olhar suas verdinhas com calma.

Tem um listão cheio de sugestões de plantas anuais na p. 236.

Capítulo 2
A primeira impressão é... verde

Seja com um canteiro acompanhando o muro, um trio de vasos rente à porta de entrada ou um jardim de fachada, deixe que as plantas digam aos que passam: "Aqui cuidam bem da gente!"

Cada vaso, árvore e folhagem revela a quem chega se você curte plantas ou não.

Meu jardim me representa!

Numa pacata rua de Pinheiros, em São Paulo, um sobrado antigo chama a atenção. Da calçada, podemos ver detalhes de sua interessante arquitetura, com paredes de pedra, muro baixo, chaminé e um telhado em estilo europeu que dá ao conjunto um ar de castelo da Disney em miniatura. Parece um lugar onde morariam seres encantados não fosse o "jardim" da fachada pra transformar aquela graciosa construção numa casa assombrada, mais pro lar da Malévola do que pro das fadas.

A tiririca cresceu em cada rachadura da calçada, vão do muro e lajota da garagem. Touceiras de quase dois metros de gengibre-tocha passam a maior parte do ano escondidas por um capim indomável – sim, o capim é MAIOR do que esse belo primo das bananeiras. Só conseguimos ver as flores avermelhadas características da planta quando um ramo vence o paredão de mato e encontra o sol. No chão, sempre há enormes folhas de palmeira caídas, galhos secos e trepadeiras invasoras sufocando qualquer espécie menos valente que tente sobreviver ali. Pra completar o terror, um pinheiro descomunal – uma bonita araucária, três vezes maior que a casa toda – está plantado e-x-a-t-a-m-e-n-t-e na frente da maior janela, bloqueando a visão, barrando a entrada de luz e reforçando o aspecto desleixado. Eu não me espantaria se espiasse pela claraboia e visse a Rapunzel aprisionada.

O jardim de fachada de uma casa diz muito sobre quem mora – ou não – ali. Deixá-lo descuidado é como usar sua pior foto no perfil do WhatsApp. Manja aquele clique feito por um amigo, de sacanagem, assim que você acordou, descabelado, com olheiras e a cara inchada? Imagina se AQUILO representasse você pro mundo externo? Vixe...

Com as plantas que saúdam os convidados é a mesmíssima coisa. Cada ser clorofilado ali está contando, em alto e bom plantês, sobre a sua intimidade como jardineiro e paisagista. Cada vaso, árvore e folhagem revela a quem chega se você curte plantas ou não, se investe tempo em manter o buxinho aparado ou se o deixa crescer livre, se seu estilo é moderno ou romântico, até se gosta de cozinhar. E, acredite, sempre é possível deixar o jardim com a SUA CARA. Então, vem cá que vou mostrar uns truques pra gente encontrar seu *crush* botânico. S2

Um estilo pra chamar de seu

Os livros de paisagismo costumam tratar dos estilos clássicos de arquitetura e associá-los a desenhos comuns de jardins – uma composição cheia de verdes e quase sem flores, com um laguinho e uma ponte em arco, remete a um jardim oriental, enquanto um lugar repleto de lavandas, com gerânios e girassóis em vasos de terracota, lembra um terraço mediterrâneo. Apesar de haver plantas diretamente associadas a determinado tipo de jardim ou região geográfica – as palmeiras aos projetos tropicais e o plátano ao Canadá, por exemplo –, é possível reforçar ou desconstruir essas ideias prontas ao escolher vasos, móveis e acabamentos. Pra ajudar nessa empreitada, dá uma olhada em qual destas frases é a sua cara:

"Amo flores!"

SEU ESTILO É... romântico.

PLANTE... rosa, lavanda, girassol, crisântemo, amor-perfeito e manacá-da-serra (todas de sol forte); ou orquídea chuva-de-ouro, olho-de-boneca e *Phalaenopsis*, além de begônia, calanchoê e antúrio (pra ambientes de sombra).

SUA CARA... miniprimavera.

"Planta é comida."

SEU ESTILO É... rústico.

PLANTE... bananeira, frutíferas nativas, flores comestíveis ou melíferas (que atraem abelhas), qualquer tipo de legume ou verdura e PANCs, ou plantas alimentícias não convencionais (todas de muito sol e, de preferência, pra áreas externas).

SUA CARA... minhocário.

"Qualquer coisa que sobreviva."

SEU ESTILO É... minimalista.

PLANTE... melindre, lírio-da-paz e *Chamaedorea* (se tiver uma boa claridade); tostão, aspargo-alfinete e rosa-do-deserto (em ambientes de muito sol); ou suculentas variadas (pra todos os tipos de iluminação).

SUA CARA... vaso autoirrigável.

"O que ninguém tem."

SEU ESTILO É... garimpeiro.

PLANTE... borboleteira, jade-azul e neve-da-montanha (pra locais ensolarados); ou pulmão-de-aço, tilândsias especiais, bromélia "Black", *Begonia maculata* e costela-de-adão-variegada (boas pra meia-sombra).

SUA CARA... *Pilea peperomioides*.

1 crisântemo

2 tagete

3 lírio-da-paz

4 Pilea peperomioides

É possível reforçar ou desconstruir ideias prontas de estilos de jardim na escolha de vasos, móveis e acabamentos, não só das plantas.

aglaonemas

bonsai

jade-
-vermelha

antúrios

samambaia-de-metro

arranjo com suculentas

"50 tons de verde."
SEU ESTILO É... *urban jungle.*

PLANTE... jiboia, *aglaonemas* bem coloridas, todas as marantas, qualquer filodendro, *Peperomia prostrata* (atualmente *Peperomia rotundifolia*) e costela-de-adão (todas de sombra ou meia-sombra, já que este estilo de paisagismo é característico de áreas internas).

SUA CARA... *Monstera adansonii.*

"Quero ter controle."
SEU ESTILO É... formal.

PLANTE... bonsais, cactos, buxinho, unha-de-gato, jasmim-manga (de sol ou meia-sombra); plantas de formas limpas ou que aceitem topiaria (uma poda mais estética, que cria desenhos com os arbustos).

SUA CARA... terrários.

"Direto do jardim da vó!"
SEU ESTILO É... vintage.

PLANTE... boldo, cóleus, tinhorão, amoreira, mil-cores, jabuticabeira (caso o local tenha muito sol); avenca, asplênio, violeta-africana, renda-portuguesa ou qualquer espécie de samambaia (se for mais sombreado).

SUA CARA... samambaia-de-metro.

"Luxo e riqueza."
SEU ESTILO É... clássico.

PLANTE... orquídeas raras, oliveira, palmeira-azul, jade-vermelha, tamareira-das-canárias (pra áreas externas e ensolaradas); *Ficus lyrata* e o maior chifre-de-veado que encontrar (ideais pra sombra e sol fraquinho).

SUA CARA... piscina natural.

"Fácil de limpar."
SEU ESTILO É... prático.

PLANTE... iuca, pata-de-elefante, espada-de-são-jorge, vários tipos de helicônias (ideais pra áreas com bastante sol); antúrio, guaimbê, estrela-d'alva, lírio-da-paz-gigante (perfeitas pra cantinhos de claridade com pouca insolação).

SUA CARA... pacová.

"Colecionador de suculentas!"
SEU ESTILO É... *succulover.*

PLANTE... cacto-pedra, dedinho-de-moça (beeeem comprido), corações-entrelaçados, colar-de-pérolas, *Echeveria* "Romeu", cacto-cérebro, *Orostachys*, a maioria dos *Sedum* e das crássulas (pra várias condições de luz natural).

SUA CARA... arranjo com suculentas coloridas.

Dicas de ouro
pra fachadas

RENTE AO MURO

Folhagens e arbustos densos podem enverdecer um muro baixo, fazendo o que se chama "bordadura". Paredes muito altas são suavizadas com espécies esguias e fininhas, como palmeiras, ciprestes e árvores de copa "colunar".

PASSAGEM LIVRE

Tanto na calçada quanto no caminho que vai do portão à porta de entrada, observe se as plantas escolhidas não avançam pelo trajeto que as pessoas farão. Isso evita galhos quebrados, folhas pisadas e pernas arranhadas.

EXIBE OU ESCONDE

Pense na função que espera das verdinhas na entrada da sua casa ou do seu apartamento: elas devem exibir seu lar ou escondê-lo da vista da rua? Com essa resposta em mente ficará bem mais fácil pensar no paisagismo.

PONTO MORTO

Sempre me pedem soluções pra garagens escuras, mas nem plantas de sombra sobrevivem muitos meses nesses lugares e, depois de pegar tudo que é tipo de praga e doença, logo morrem. Uma saída é observar quais são as áreas mais claras desse espaço (provavelmente nas bordas) e pendurar nelas vasos de imbé, jiboia e samambaia-americana, o trio herói da resistência. Essas espécies farão um cabelinho no alto sem atrapalhar a entrada do carro. Se nem elas forem pra frente, melhor estacionar a ideia de colocar planta ali...

Estas dicas valem também pra quem tem como "fachada" o saguão do elevador na entrada do apartamento :)

Aqui moram loucos por plantas

Veja que simpático "bem-vindo" estes dois projetos de jardim de fachada dizem a quem bate à porta (a jardineira florida vai arrancar elogios das visitas).

SE A FACHADA TEM **MAIS SOL**

Uma pleomele-variegada bem cheia num vaso alto destaca a entrada e dá amplitude ao espaço. Opte por um cachepô escuro pra valorizar o rajado de verde e creme que as folhas dessa espécie possuem.

No parapeito da janela, uma jardineira suspensa na altura dos olhos comporta flores anuais, que você pode substituir a cada entrada de estação. Experimente começar com tagetes, que são comestíveis e atraem borboletas.

O trio de vasos funciona como um arranjo em si. Repare como as cores do cróton "Petra" realçam a textura da mini-pitanga e conversam com as bulbines. Garanta um efeito pendente finalizando a bacia com tostão.

SE A FACHADA TEM **MAIS CLARIDADE**

alocásia

ciclame

calateia triostar

barba-de-moisés

renda-portuguesa

árvore-da-felicidade

A árvore-da-felicidade tem um tronco escultural e, mesmo jovem, aparenta ser muito antiga. Esqueça a lenda de plantar "macho" e "fêmea" juntos: trata-se de duas espécies independentes que crescem sozinhas numa boa.

A jardineira do parapeito ganha os tons rosados de dois tipos de cíclame, uma flor perene com adoráveis folhas em forma de coração. Dá pra brincar com duas tonalidades parecidas ou escolher uma variedade bicolor.

Em cima do suporte, o primeiro vaso evidencia a folhagem da alocásia. Plante renda--portuguesa no outro vaso e encha a bacia com miniaturas de calateia triostar e barba--de-moisés, fazendo um mix de verdinhas tropicais.

Outras ideias pra fachadas

TEMA ÚNICO

Se o espaço não é grande, em vez de encher de plantas diferentes, escolha uma única espécie vistosa e crie um maciço com muitas dela. Também funciona dedicar o único vaso possível a uma trepadeira chamativa, que buscará seu lugar mais no plano vertical do que no horizontal.

DUPLAS, TRIOS E FILEIRAS

Plantar em pares destaca a simetria de uma fachada, enquanto trios ou grupos ímpares deslocados pra um lado do ambiente passam informalidade. Grandes colunas de bambu ou fileiras regulares de palmeiras-imperiais ao longo de um caminho reforçam o ar imponente da construção à frente.

EM ARCO

Boas ideias não precisam vir necessariamente do chão. Quer ver só? Pendure um vaso de parede de cada lado da porta e enterre neles as pontas de um arco de metal (vale encomendar numa serralheria). Plante batatas-doces neles e conduza as ramas pela estrutura, criando um arco verde que contorna a porta.

FORA DA MIRA

Quer evitar que os cachorros de toda a vizinhança queimem suas plantas todos os dias com urina? O melhor jeito é elevando os canteiros que ficam rente à calçada. Construir uma mureta de meio metro já tira as verdinhas da mira do xixi e resolve muito bate-boca entre vizinhos.

Russélias fazem um lindo maciço que atrai pássaros.

Canteiro de boas-vindas
passo a passo

Esta proposta vai bem em cidades de clima quente e em ambientes que recebem sol apenas uma parte do dia.

INGREDIENTES

15 sacos de 25 kg de substrato pra mudas

3 kg de Bokashi (ou húmus de minhoca)

a. 1 cordiline de 1,40 m

2 cordilines de 1,20 m

2 cordilines de 1 m

3 cordilines de 50 m

b. 3 bromélias-imperiais-rubras (pote 27)

c. 6 crótons "Golden Glow" (pote 24)

d. 1 camarão-amarelo de 1 m

e. 6 crótons "Canarinho" (pote 24)

f. 5 crótons "Picasso" (pote 24)

2 rendas-portuguesas (cuia 21)

g. 2 caixas de mudas de iresine (*Iresine difusa* subsp. *herbstii*) de 20 cm

h. 1 caixa de mudas de falsa-érica

3 caixas de mudas de ajuga

7 sacos grandes de casca de pínus média

MODO DE FAZER

1. Com pá e enxada, limpe a área de plantio. Nós contratamos meu querido jardineiro Juarez, experiente e muito mais ágil do que eu para este passo!

2. Faça o esboço: posicione as plantas seguindo o desenho final deste passo a passo.

Rendimento:
uma charmosa entrada de 3 m de largura

Validade:
o jardim ficará bonito e saudável por anos se você adubar o canteiro todo mês

antes

Se tiver dúvidas sobre as etapas do plantio, volte pra p. 76.

MODO DE FAZER (continuação)

3. Comece pelo fundo do canteiro, com as plantas mais altas, e gradualmente avance pras mais baixas: usando pá e cavadeira, remova a primeira cordiline do lugar e cave um leito de mais ou menos 40 cm de profundidade.

4. No fundo do leito, ponha uma camada de cinco dedos de substrato e da terra removida – misture ambos em partes iguais –, acrescentando um punhado de Bokashi (ou húmus de minhoca).

5. Remova a cordiline dando batidinhas na lateral do vaso e, segurando a planta rente à terra, encaixe-a no leito. Preencha o espaço que sobrar com a mistura de terra, substrato e adubo e, em seguida, aperte ao redor do colo pra firmar a muda.

6. Repita os passos até plantar todas as cordilines em zigue-zague, mantendo uma distância de 50 cm entre elas e posicionando as mais altas atrás e as menores na frente e dos lados.

7. Da mesma forma, plante as bromélias-imperiais-rubras. Deixe-as ligeiramente tombadas pra dar um acabamento mais bonito e natural (não se preocupe, pesquisas mostram que bromélias não são criadouro do mosquito da dengue).

8. Passe pra área perto do muro, onde vão ficar o camarão-amarelo, que atrai beija-flores, e os crótons "Canarinho" e "Golden Glow", um belo fundo pra destacar as folhas roxas da iresine durante o ano todo e fazer sombra pra renda-portuguesa. Plante repetindo o passo a passo de antes.

Se preferir, substitua a argila por brita, telhas quebradas ou isopor picado.

MODO DE FAZER *(continuação)*

9. Agora, faça o plantio do cróton "Picasso", que ficará levemente em destaque no projeto, criando uma borda cheia de texturas pra composição.

10. Plante as duas cuias de renda-portuguesa ao lado do "Picasso" e abaixo dos outros crótons. É normal que a planta queime um pouco nas primeiras semanas, porque está acostumada a crescer em estufas protegidas desde mudinha, mas, com paciência, logo se adaptará a um pouco mais de insolação – especialmente se for como neste projeto, um pouco de sol apenas pela manhã. ;)

11. Finalize plantando as mudinhas de caixaria, das iresines, mais altas, pras falsas-éricas e ajugas, sempre em zigue-zague. No processo, você pode achar que as iresines são muito "pernudas" e ralas, mas elas crescem depressa e logo taparão com roxo cada buraquinho de solo. A falsa-érica é uma verdadeira sedutora de abelhas e trará mais vida ao jardim.

12. Finalize com casca de pínus e regue tudo em abundância.

depois

Capítulo 3
Um jardim de estar

Samambaia presa ao teto + janela ensolarada +

poltrona delícia + seu livro preferido (este! este!) =

uma sala perfeita pra curtir e relaxar...

Ainda bem que o tempo da aridez está passando e mais pessoas se interessam pela delicadeza das plantas!

No tempo da delicadeza

Quando meus pais eram crianças, lar de verdade era uma combinação de terra-plantas-terra: jardinzinho com roseiras na frente de casa, violetinhas mil na janela da sala e quintal com pomar e terra batida, pra molecada correr descalça e comer fruta no pé. Bastavam poucos amigos pra encher a sala – muito menor do que as de hoje, já que o lugar pra reunir a turma era lá fora, cadeiras rente ao portão, vendo os filhos brincarem na rua. O dia tinha dezesseis horas – ninguém era louco de ficar sem dormir – e abrangia fazer refeições em família, descobrir desenhos nas nuvens, seguir rastros de formigas e ler um bom livro. No vaivém da cadeira de palhinha, o fio das conversas era tecido sem hora pra acabar. As samambaias, crescendo no vagar das plantas jurássicas, testemunhavam o quanto todo mundo era feliz e nem sabia.

Pras crianças de hoje, lar que se preze é uma combinação de cimento-
-planta-cimento, onde o hall do elevador serve de fachada e o playground do prédio simula um "lá fora", protegido com grades e câmeras. As salas de estar são cada vez maiores não pra reunir a família em torno da mesa, mas sim pra comportar fios, tomadas e gadgets da vida tecnológica. Pouco a pouco, as plantas perderam o plural e cederam espaço pro roteador do wi-fi, pra máquina de café, pras caixinhas do home theater, pro aparelho do ar-condicionado e pra miniadega climatizada. Todo mundo está tão entretido na sua telinha preta (tv, celular ou computador) que ninguém repararia numa flor se abrindo – nem que fosse tão grande quanto a do *Amorphophallus titanum* (bom, talvez percebessem pelo cheiro ruim que ele tem...).

Ainda bem que o tempo da aridez está passando, verdinho. Este livro nas suas mãos é prova de que há outros como você, doidos pra retomar o contato com a natureza, trazer as plantas pra perto e voltar ao tempo da delicadeza. Já temos a ioga, o macramê e o detox de celular. Mais modernas que nunca, aulas de costura, marcenaria e culinária têm nos ajudado a dar um tempo da tecnologia, proporcionando um trabalho manual delicioso e focado – trinta minutinhos de meditação pra quem vive on-line.

Sua vida nunca mais será a mesma depois que descobrir a delícia de abrir a porta de casa e ser saudado por uma florestinha particular. Nem que ela comece com aquela samambaia da casa dos seus avós. S2

Uma luz pros vivos

Se os olhos são a janela da alma, as janelas são os olhos da casa. Elas permitem observar e ser observado e dizem muito sobre quem mora ali. Quer ver só? Janelas constantemente fechadas indicam que o dono trabalha fora o dia todo. Cortinas fininhas sugerem que o sol forte estragaria piso e móveis. Se há blecaute no quarto, talvez algum morador tenha dificuldades pra dormir. Persianas vedadas deduram vizinhos muito próximos. Ah, e janelas com rede de proteção gritam aos quatro ventos: "Tem criança pequena ou bicho de estimação arteiro por aqui!".

Em boca fechada não entra mosca, você sabe, mas em janela cerrada não entra vida. Volta lá na p. 28, se estiver me achando muito animadinha com os trocadilhos, que eu conto, tintim por tintim, como a luz é fundamental pros seres clorofilados – pras plantas e pra gente também, taí esse monte de gente com deficiência de vitamina D pra provar…

Curiosamente, deixamos muita coisa sem vida perto das janelas: porta-retratos, souvenirs, coleções de *toy art*, porta-rolhas e, pasme, até vasos decorativos SEM PLANTAS. A maioria desses objetos estraga, desbota ou craquela se ficar em contato com o sol, mas plantas não.

Então, bora fazer um remanejamento: traga as plantinhas pro parapeito da janela, ocupando tudo – chão, teto, paredes, todas as áreas próximas –, e deixe as coisas sem vida pra tapar buraco escuro. Mande pro alto da estante a caricatura que fizeram naquela viagem (e nem ficou assim tão boa), pendure um quadro com fotos da galera perto do corredor e bote as garrafinhas de areia de Jericoacoara do lado do rack em que não bate sol. Isso sim vai transformar suas janelas em verdadeiras portas abertas à percepção. (Tô muito poeta hoje, aff…)

Parece complexo, mas esse cantinho segue a mesma lógica de misturar tamanhos, cores, formatos, texturas e enfeites.

Plantas longas, como esta *Dischidia ruscifolia*, dão ótimas cortinas verdes.

SUBSTITUA A CORTINA POR UMA PLANTA

1. SE FICA FORA O DIA TODO… plante verdinhas pequenas em vasos autoirrigáveis ou dê preferência às rústicas – ráfis, dracenas, *Sansevieria* e *Chamaedorea* vão bem rentes à janela. Se não para em casa, ponha até um terço de vermiculita no substrato das plantas de umidade.

2. SE BATE MUITO SOL… invista em um tapete bonito pra proteger o piso, use mantas charmosas nos móveis estofados e experimente, o quanto antes, uma das sugestões da p. 122: tanto plantas pendentes quanto trepadeiras podem ser a ajuda que você precisava pra bloquear o sol sem ter de fechar a janela.

3. SE A RUA É BARULHENTA… além de luz, plantas filtram poeira, poluição e… ruídos! Quanto mais densa e miudinha for a folhagem, mais som bloqueado. Aposte no fícus, na avenca, nas muitas samambaias, na árvore-da-felicidade ou em qualquer planta de sombra ou meia-sombra que seja cheia de folhinhas.

4. SE HÁ VIZINHOS XERETAS… crie um biombo antifofoqueiros. Explore os cantos próximos à janela com tripés, pedestais e suportes múltiplos pra comportar vários vasos simultaneamente. Se bater sol, conduza uma trepadeira bem densa ao redor da janela – ipomeia e batata-doce são perfeitas pra isso!

5. SE TEM CRIANÇA OU PET… sua janela ou varanda tem tela de proteção, certo? ENTÃÃÃO, já que ela está aí, que sirva de apoio pras trepadeiras crescerem. Corre na p. 122 que eu explico como fazer uma proteção verde e linda pra todos. ;)

Esculturas vivas

Não é preciso um monte de plantas pra criar impacto num projeto paisagístico: uma única espécie escultural dá tão certo quanto uma floresta se um toque moderno e minimalista for acrescentado. Essa ideia funciona ainda melhor em salas com pé-direito alto, que reforçam o caráter de obra-prima da natureza. Um bonsai que esteja há anos na família, um chifre-de-veado quase pré-histórico, uma orquídea rara de coleção ou mesmo um arbusto imponente serão o centro das atenções se você os destacar com vasos elegantes, bases de madeira bruta ou uma iluminação especialmente pensada pra fotossíntese. Epa, nunca ouviu falar em lâmpada *grow light*? Pula pra p. 125.

Dicas de ouro pra salas

SEM RISCAR O PISO

Rodízios embaixo dos vasos facilitam a faxina e poupam o piso. Também podem esconder o pratinho, que dificilmente a gente acha na mesma cor do vaso. Prefira os com rodinhas de silicone – são os melhores!

SEM FURADEIRA

Evite ficar furando o teto pra suspender planta a planta: com quatro parafusos, dois de cada lado, você instala um varão de cortina e pode pendurar os vasos usando ganchos em S. É superprático pra regar!

SEM MOLHAR O CHÃO

Para impedir que o excesso de água das regas manche o chão, eleja cachepôs em vez de vasos furados. Use os vasos comuns dentro deles e capriche no acabamento. Ninguém vai perceber sua matrioska verde!

Cortina verde sem suspeitas

Com muito ou pouco sol, estes projetos valorizam as janelas da sala, num jogo de mostra-e-esconde que só revela aos vizinhos o que você permitir.

SE A SALA TEM **MAIS SOL**

Instale uma rede de proteção preta na janela e mãos-francesas resistentes nas paredes. Posicione ali uma jardineira com mudas de qualquer espécie de trepadeira que ame sol (vai no listão da p. 247 escolher a sua).

Plantas que se enroscam podem ser "canhotas" ou "destras", então, observe bem em que sentido os galhos preferem grudar na rede de proteção, pra ajudar a verdinha a se fixar mais depressa.

Disfarce a jardineira com um trio de vasos de diferentes alturas, valorizando os desenhos, as texturas e os formatos na composição. Quando a trepadeira estiver grande, as plantas próximas poderão ser de sombra ou meia-sombra.

clerodendro

lavanda

bromélia

bromélia suculentas

SE A SALA TEM **MAIS CLARIDADE**

samambaia

Monstera adonsonii

jiboia

ripsalis

hera

cróton

calatea

Calatea triostar

Fixe no teto um varão de cortina que acompanhe toda a largura da janela; se for da cor da parede, melhor ainda! Use-o pra suspender jiboias, samambaias, filodendros pendentes, *Monstera adansonii* e vários tipos de heras.

Com cabos de aço e ganchos em S (podem ser encontrados em lojas de material de construção), posicione os vasos em alturas diferentes, criando um efeito de preenchimento. Também vale usar *hangers* de corda ou macramê.

Aproveite a área do piso e posicione um trio de vasos de tamanhos distintos. Cuide pra que a planta mais alta do chão não alcance o vaso mais baixo pendente. Cróton, fitônia ou qualquer calateia ficará bem aí.

Quanto mais velha a escada, mais bonito o efeito

Paisagismo à prova de zicas

BARREIRA VERDE ANTIFEIURA

Microjanelas que dão pra cenários claustrofóbicos são comuns na vida de quem mora em quitinetes. Crie um móbile verde usando barras de ferro posicionadas verticalmente, do teto ao chão: faça com que elas atravessem alguns vasos, entrando e saindo pelo furo de drenagem, e trave cada vaso com um prego pra que eles não deslizem pro chão. Depois, é só plantar espécies pendentes pra embelezar o cantinho.

UM DEGRAU POR VEZ

Escadas e banquinhos são ótimos aliados pra ganhar altura no jardim e posicionar as verdinhas na linha do sol. Essas peças versáteis existem em muitos estilos e são fáceis de encontrar. Uma escada de pintor feita de madeira, cheia de respingos, vira uma moldura linda pra plantas na parede.

CANTINHO DA JARDINAGEM

Pra manter vasos, adubos, regador e ferramentas longe de patas e focinhos, pense em dar vida nova a uma cristaleira antiguinha – modelos de segunda mão podem sair mais em conta do que um móvel novo. Na sua ausência, deixe as plantas fechadas na parte de vidro e os insumos trancados com chave.

Pilea mollis

Um sol portátil

Na fotossíntese, as plantas absorvem picos específicos do espectro de luz solar, especialmente as faixas azul, laranja e vermelha, que não aparecem com a devida intensidade em lâmpadas comuns. Modelos tradicionais de LED atendem a boa parte das necessidades das verdinhas, entretanto, sem esses picos, uma planta até cresce, mas não dá flor nem frutifica. Luminárias *grow light* específicas pra plantas oferecem tudo o que nossas amadas clorofiladas precisam – pergunte por elas nas lojas de aquário ou de produtos pra cultivo *indoor*, cada vez mais populares pelo mundo. Iluminação artificial com quase o mesmo efeito do sol não é barata – um kit simples custa a partir de mil reais –, mas pode ser a solução pros amantes da natureza que desejam cultivar plantas de sol pleno mesmo onde não entra uma réstia de luz.

INGREDIENTES

PRA "MASSA"

1 fícus-lirata de 2 m

1 vaso Cacau camurça de
55 cm de altura

20 kg de argila expandida

2 m de manta de drenagem

50 kg de substrato pra mudas

1 kg de Bokashi

20 kg de casca de pínus

1 rodízio de 30 cm de diâmetro

1 samambaia-jamaicana (cuia 32)

1 vaso esmaltado Atlantis de 50 cm
de altura por 35 cm de largura

3 begônias-maculadas (pote 15)

1 vaso metálico Mason de 41 cm
de altura por 33 cm de largura

1 banquinho de madeira com
base geométrica de ferro de
30 cm de altura

PRA "COBERTURA"

1 tripé de ferro de 1,4 m

2 pratos plásticos de 20 cm de diâmetro

1 *Dischidia ruscifolia variegata*
(cuia 21) bem longa

1 suporte geométrico de ferro
de 70 cm

1 lambari-roxo "Deep Purple" (cuia 21)

1 cachepô de madeira de 50 cm de
diâmetro

2 pulmões-de-aço (pote 15)

1 *Pilea mollis* (cuia 21)

1 cachepô de barbante de 20 cm
de diâmetro

1 prato plástico de 10 cm de diâmetro

1 cróton "Gingha" (pote 17)

1 prato plástico de 25 cm de diâmetro

1 jardineira branca Seixo antique de
15 cm de altura por 32 cm de largura

3 begônias "Beleaf Yukon Frost"
(pote 15)

1 cachepô de papel (pote 6)

1 musgo-vermelho (cuia 13)

Rendimento:
uma sala que parece
um quintal

Validade:
enquanto durarem
os "uau!"

antes

Cuidado com as costas: chame um ajudante se precisar, a planta é bem pesada!

Quanto mais alto o cachepô, maior a camada de drenagem (contanto que não ultrapasse o limite de 1/3 do vaso).

MODO DE FAZER

1. Prepare o espaço: remova decorações e cubra móveis com lençol ou toalha que possa sujar. Forre o chão com um pano grande e grosso (eu uso um quadradão de 2 m de couro sintético). Comece pelo fícus-lirata, a planta mais alta da composição. Use esse pano pra arrastar o vaso da fícus-lirata, assim fica mais fácil do que carregar. Quando terminar, enrole aos poucos para criar um "degrau" e facilitar na hora de transferir para o rodízio.

2. No fundo do vaso Cacau, ponha uma camada grossa de argila expandida seguida pela manta de drenagem, depois faça um leito de substrato misturado com um punhado de Bokashi. Ponha o fícus em cima do pano e solte bem o torrão de raízes, dando soquinhos na lateral do vaso. Cuidado com as costas: **peça ajuda se precisar, a planta é bem pesada!** Passe o fícus pro vaso, complete com substrato e adubo, finalize com casca de pínus e posicione o conjunto em cima do rodízio. Com uma tesoura de desbaste afiada, fure a lateral do vaso, uns 10 cm acima da base – isso cria um reservatório de água que dispensa o pratinho embaixo da planta. ;)

3. Daqui pra frente, as etapas são mais ou menos as mesmas pra todos os vasos: no fundo, ponha uma camada de argila expandida, acrescente um pedaço de manta de drenagem e faça um leito de substrato misturado com um punhado de Bokashi. Em seguida, posicione o torrão de raízes, complete com substrato e adubo, firme bem e finalize com cascas de pínus. Repita o processo com a samambaia-jamaicana no vaso esmaltado.

Ao variar os tipos de vaso, tente repetir cores ou materiais pra reforçar a unidade do conjunto.

Ponha o vaso perto da planta pra ter noção do tamanho a ser comprado.

Se não encontrar o cachepô de madeira em garden centers e lojas de decoração, improvise com um vaso em cima de um toco de lenha pra lareiras.

MODO DE FAZER (continuação)

4. Pras begônias-maculatas, o vaso metálico que usei era bem grande, para isso utilizei um truque: fazer um fundo falso com um vaso virado de ponta-cabeça e completar os arredores com argila expandida. Você pode usar apenas argila, mas vai gastar muito mais. Em seguida, continue com as etapas conforme o passo dois.

5. Vá pro quarteto ao lado direito da poltrona: acomode a cuia de *Dischidia* num prato em cima do tripé mais alto. Essa é uma planta difícil de encontrar nesse comprimento, veja no listão da p. 247 algumas sugestões de substituições.

6. Repita a operação com o lambari-roxo no suporte de ferro mais baixo. Nesses dois casos, não vale a pena investir em cachepôs bonitos porque a planta tem uma massa tão gigante de folhas que cobre totalmente o apoio em que está.

7. Plante os dois vasos de pulmão-de-aço no cachepô de madeira e ponha a cuia da *Pilea mollis* no cachepô de barbante, tomando cuidado para proteger o fundo com o prato plástico pequeno.

8. Você está quase acabando! Numa altura intermediária (aqui fizemos em cima do aparador), posicione o cróton no vaso em que veio – com um pratinho embaixo. O lambari-roxo é tão exibido que vai esconder a base na qual o cróton está (daqui a uns meses, se preferir, você poderá escolher um cachepô bonito pra ele).

9. Plante as três begônias "Beleaf" na jardineira e o musgo--vermelho no cachepô de papel (ou em um vasinho pequeno e charmoso que tenha à mão).

10. Regue tudo em abundância, seque o excesso de água do chão, estenda o tapete e organize os outros elementos da decoração.

Vale investir em suportes altos para valorizar plantas bem longas.

Capítulo 4
Bom dia, flor do dia!

Esqueça as crendices: você pode, sim, ter plantas no quarto; elas são uma forma muito gostosa de começar e encerrar sua jornada diária conectado à natureza

Pequenos arranjos podem ocupar um cantinho na decoração do quarto, já que cabem em quase qualquer lugar.

O perigo dorme (no vaso) ao lado

Música de suspense ao fundo, vemos um quarto, a cama desarrumada e uma pessoa inocente dormindo um sono profundo. Música mais assustadora ainda, close no vaso de lírio ao lado da cabeceira, as folhas sinistramente começam a... sugar o ar! Batidas de tambor aumentam a tensão do momento, a pessoa se debate enquanto asfixia até... Calma, verdinho, nem precisa ter palpitações porque essas coisas só acontecem na nossa imaginação.

As pessoas mais velhas costumam fugir de plantas no quarto, alegando que elas "roubam nosso oxigênio". A verdade é que, nas doze horas do dia em que o sol já se pôs, todo ser clorofilado respira, inalando oxigênio e liberando gás carbônico – IGUALZINHO a mim, a você, a seu filho e a seu bicho de estimação (e quantas vezes dormimos com essa turma toda no mesmo cômodo?).

Pois é, à noite, ter uma planta como colega de quarto é exatamente como ter um cachorro dormindo aos nossos pés na cama. Taqui sua carta de liberação pra plantar o que bem entender... Opa, pensando melhor, tem um perigo vegetal, sim. Ele é muito menos fatal, mas bem mais perceptível: o aroma.

Você ama rosas perfumadas? Tem um vaso de dama-da-noite rente à janela? Morre de vontade de plantar jasmim até dentro do quarto? Póparar. Quanto mais persistente o cheiro de uma verdinha, maior a chance de dor de cabeça e noites maldormidas. Isso serve também pra folhagens que exalam odores fortes em determinadas épocas do ano, como as marantas e a árvore-da-felicidade.

Daí, talvez você esteja se perguntando: "Carol, mas e os cheirinhos suaves?". Olha... macela, lavanda e erva-doce, por exemplo, não chegam a entrar na lista das proibidonas, até porque têm propriedades calmantes e ajudam quem tem insônia, mas avalie sua sensibilidade, porque um perfume gostoso pode virar um fedor persistente depois de algumas horas. Manja quando a gente entra no elevador e tem uma pessoa que tomou banho de perfume? Complicado...

Já sabe, então: mandavê nas verdinhas, mas nada de transformar as plantas num incômodo pra quem dorme no quarto. Se você pensava que um companheiro roncando ao lado da cama era o pior que podia acontecer, durma (ou não) com esta: um lírio em flor pode acabar com sua noite num piscar de olhos!

Cabeceira com plantas só dá dor de cabeça

Como com tudo no mundo, volta e meia aparece uma modinha sem pé nem cabeça na jardinagem. Teve a época do bambu-mossô em ambientes internos, da costela-de-adão na sala e, agora, vivemos a fase da cabeceira de cama repleta de plantas. Em algumas fotos, as verdinhas estão presas ao teto, em outras, uma prateleira instalada ao longo da cama serve de suporte pra vasos de folhagens variadas. Isso quando não insistem em prender uma jiboia à parede e ir conduzindo a folhagem – quase sempre estiolada – até formar um arco sobre a cabeça de quem dorme.

Não vou mentir procê, verdinho: eu mesma já testei umas coisas assim por aqui. É por isso que digo, de alma lavada, que não funciona por muito tempo. Fica lindo na foto, dá certo por algumas semanas ou até por uns meses, mas, depois de um tempo, plantas na cabeceira da cama geram problemas incontornáveis, que estavam lá desde o início, mas a gente meio que ignorou.

Pra começo de conversa, se você escolheu um bom lugar pra cama no seu quarto, não deve bater sol perto dos travesseiros. Pensa comigo: acordar com sol na cara não é agradável, certo? Então, a parte do colchão em que você deita a cabeça fica longe do sol – o mais provável, inclusive, é que a janela esteja mais perto dos pés da cama do que da cabeceira, o que traz muito mais conforto pra quem dorme. Isso já torna a região da parede vizinha à cabeceira um local não muito claro, com potencial de deformar as plantas de sol e entristecer as de meia-sombra.

Pra piorar o cenário, pensa em como vai ser a rega desse monte de verdinhas. Se ficarem em cachepôs, você vai ter de controlar a rega tombando os vasos, um a um, aquela trabalheira. Se estiverem em vasos furados, minha jardinagem telepática aqui me antecipa que você vá regar menos, pra evitar molhar a cama. Isso sem falar nas folhas que caem, nas minhocas que saem da terra e em outros serezinhos crocantes que resolvam dar o ar da graça *enquanto você dorme*. Percebe que tenso?

Mas não desanima, não, que nas próximas páginas eu vou dar um monte de sugestões legais pra encher o quarto de verde sem encher a cabeça de minhocas. :P

Acompanhe plantas crescendo no terrário ao longo dos anos sem o trabalho de regar.

Dicas de ouro pra quartos

JANELA VERDEJANTE

A vista da janela é feia? Apoie prateleiras suspensas no varão da cortina usando cordas ou cabos de aço. Use essa estrutura pra expor vasinhos. Pequenos, eles não tampam a vista e criam um verdinho em primeiro plano.

BELEZA PROTEGIDA

Ecossistemas fechados, que não acumulam poeira, terrários são perfeitos pra quartos (até os infantis). Você pode montar um quando seu bebê nascer e ir acompanhando a evolução dele junto do crescimento da criança.

PEÇAS CRIATIVAS

Lustres, porta-joias e sapateiras de náilon são alguns acessórios que podem ser transformados em vasos ou suportes pra plantas. Deixe-os perto da janela pra oferecer o máximo de luz às verdinhas.

Com sorte, o tronco já vem cheio de vida, como estas tilândsias.

5 usos pra cipós, troncos e raízes

Sempre penso que o decorador de interiores da natureza tem mesmo umas sacadas inteligentes. Cipós, raízes e troncos são estruturas perfeitas pra dar suporte às verdinhas: aguentam peso, são resistentes e vêm numa grande variedade de cores, modelos e acabamentos. Há troncos bem lisinhos, como o da goiabeira e o do pau-ferro, e outros cheios de ranhuras e descascados bonitos, que nem o do pau-jacaré e o da jabuticabeira.

Quem mora na praia ou perto de rio, encontra galhos e raízes nos quais a água passou anos trabalhando, esculpindo fendas, curvas e buracos encantadores. Mesmo pros urbanos como eu, que vivem em cidades de concreto, longe do mar e dos riachos, um temporal pode deixar o chão das praças cheio de presentes, de galhos decorados por liquens a gravetos com tilândsias de mil cores.

Só me promete uma coisa: você não vai sacrificar árvore, arbusto ou trepadeira nenhuma pra arrancar um galho, tá? Combinado? Então, colanimim que vou dar um monte de dicas pra usar essas bonitezas naturais.

1. ARANDELA

Lixe e envernize um galho bonito, depois, parafuse-o na parede. Que tal uma das ramificações sustentar uma lâmpada com bulbo pequeno (esconda a fiação enrolada no galho) enquanto as demais recebem bromélias, miniorquídeas ou outras espécies que curtem crescer grudadinhas em árvores? Essas plantas, chamadas de epífitas, podem ser fixadas no galho com um pouquinho de esfagno envolvendo as raízes. Amarre com fio de náilon pra um acabamento melhor – e não se preocupe: depois que elas enraizarem, não vão precisar do esfagno nem do fio pra se firmarem.

2. CABIDEIRO

Restos de poda de árvores geram toquinhos de forquilhas perfeitos pra servirem de ganchos, tanto pra roupas quanto pra vasos suspensos. Em garden centers e floriculturas, você encontrará suportes em S de vários tamanhos, que ajudam a fixar o gancho de um vaso e remover a planta com facilidade pra regar. Prenda três ou mais toquinhos numa base de compensado retangular e terá um cabideiro simpático pra expor uma coleção de suculentas pertinho da janela.

Chegou da rua e precisa deixar a jaqueta arejando antes de guardar? Retire um dos vasinhos e pendure-a naquele gancho. Fácil, fácil.

3. VARAL

Um galho deitado ou ligeiramente inclinado serve como um varal pra exibir suas verdinhas, criando um bonito móbile natural. Aqui, o segredo é deixar a estrutura o mais invisível que puder, usando cabos de aço bem fininhos pra prender as extremidades do galho ao teto e escolhendo plantas pequenas e bem cheias, que cubram o vaso. Entre as espécies vendidas em potes 6 ou 11, há o tostão, a samambaia-havaiana, o dedinho-de-moça e a ripsális-peluda, que crescem depressa. Presas ao galho com fios de náilon, elas parecerão bolas verdes flutuando no móbile rústico.

4. PRATELEIRA

Tábuas irregulares e retalhos deformados de madeira funcionam como prateleiras naturais. Gosto muito de instalá-las usando as menores mãos-francesas que encontro na loja de materiais de construção, pra que o resultado se pareça com um tronco saindo da própria parede.

Um jeito bacana de trabalhar madeiras mais planas é furar perto das quinas usando serra-copo, assim é possível passar cordas de sisal ou barbante grosso pelos furos, dando um nó na parte de baixo pra travar a tábua no nível certo. Essas peças são ótimas pra plantas pendentes e trepadeiras pequeninas que se enrosquem nas cordas.

5. ENFEITE

Cipós retorcidos são cada vez mais comuns em lojas que comercializam artigos pra floristas e aos poucos começam a ser vendidos também em garden centers e grandes floriculturas. Se tiver podado uma trepadeira bem lenhosa, aproveite o desenho escultural das lianas pra usar de enfeite junto a um grupo de vasos. Esse tipo de recurso ajuda a reforçar a unidade de vasos, plantas e formatos muito diferentes entre si e a delimitar o espaço do "jardim" dentro do quarto. Use pra agrupar as verdinhas no parapeito da janela ou em cima de um aparador bem iluminado.

Como num quintal em miniatura

Até árvore tem nestes projetos paisagísticos charmosos, que trazem
a natureza pra dentro do quarto sem invadir sua privacidade

SE O QUARTO TEM **MAIS SOL**

No vaso raso, experimente
um bonsai de frutífera,
como a pitangueira, a
romãzeira ou a jabuticabeira,
que adoram sol, mas
precisam ficar constantemente
úmidas – molhe todos
os dias até encharcar!

No vaso maior, um tronco
enterrado cria um efeito
escultural com as tilândsias
e destaca as flores da cravina.
A composição ganha textura
com a folhagem pontuda
do senécio e o crescimento
pendente do colar-de-pérolas.

O menor vaso recebe
confete, folhagem que pode
ser mantida no recipiente
de hidroponia em que veio.
Escolha a cerâmica no tamanho
certo pra disfarçar o pote
plástico e ponha musgo por
cima, pra esconder as bordas.

SE O QUARTO TEM **MAIS CLARIDADE**

planta-jade

lírio-da-paz

cravina

fitônia

grama-preta

columeia "Twister"

Embora não seja de fato um bonsai, a planta-jade tem o mesmo desenho de árvore miniaturizada. Essa suculenta cresce superdevagar, por isso não vai pedir um vaso maior tão cedo.

O tronco, as tilândsias e a base maior são os mesmos, mas as plantas da base foram substituídas por espécies que curtem menos sol, como o lírio-da-paz, a grama-preta e a columeia "Twister".

A fitônia vermelha do vasinho menor lembra tanto o confete que muita gente acha que são a mesma espécie. As folhas podem ser parecidas, mas enquanto a primeira ama claridade, a segunda deforma bastante se não vir o sol…

cheflera

calateia

Boas colegas de quarto têm...

FOLHAGENS LISAS

Se pó não combina com sua casa, imagine passar oito horas dormindo num ambiente empoeirado? Plantas de folhas miúdas ou com pelinhos juntam mais poeira do que as de folhagem grande, larga e lisa. Pacová, cheflera e calateias em geral são boas escolhas pra quartos com muita claridade...

suculentas

RESISTÊNCIA À SECA

Pela manhã, saímos do quarto morrendo de sono e, à noite, voltamos pra ele exaustos. Entre uma coisa e outra, usamos a cama pra fins, hmmm… digamos, "recreativos". Verdinha que não for independente vai acabar esquecida! Aposte nas suculentas caso seu quarto receba algumas horas de sol.

begônia

ciclame

FLORADA DURÁVEL

Tudo bem que espécies perfumadas não têm vez ao lado da cama, mas acordar e deparar com uma verdinha florida é um bom jeito de começar o dia. Entre as moças de florada durável estão as orquídeas chuva-de-ouro, olho-de-boneca e *Phalaenopsis*, além de begônias, ciclames, antúrios, calanchoês e lírios-da-paz.

Antes do feijão no algodãozinho

Plantas são bem-vindas seja qual for a nossa idade, mas é bom ter um pensamento bem prático quando se trata do paisagismo de quartos de bebês e crianças. Vale plantar em vasos suspensos no teto ou na parede, pra evitar mãozinhas que arranquem folhas. Espécies com espinhos, bordas serrilhadas, seiva tóxica e pelos que dão coceira têm de ficar da porta pra fora. Aposte nas hortaliças – há, inclusive, muitas com flores comestíveis! – e nas plantas medicinais, úteis pra ralados, cólicas e machucados em geral (sempre converse com o pediatra antes de usar qualquer verdinha como remédio, tá?).

INGREDIENTES

PRO CHÃO

1 vaso de barro de 45 cm de altura

1 ráfis de 1 m

1 kg de substrato

1 m de manta de drenagem

1 kg de casca de pínus média

1 rodízio de silicone de 25 cm de diâmetro

1 cachepô de gravetos de 25 cm de diâmetro

1 *Alocasia* "Black Velvet" (pote 15)

1 asplênio "Crispy Wave" (pote 15)

1 cesto de tecido e palha cinza de 20 cm
de diâmetro

1 pedaço de manta (ou TNT) quadrado de 20 cm

PRA MESINHA DE CABECEIRA

1 vaso de cerâmica branca fosca
de 20 cm de diâmetro

1 *Phalaenopsis* branca (pote 15)

1 tigelinha de madeira de 10 cm
de diâmetro

1 muda de chifre-de-veado

MODO DE FAZER

1. Plante o trio do chão: a ráfis vai pro vaso de barro com o rodízio
   embaixo, a *Alocasia*, pro cachepô de gravetos, e o asplênio, pro cestinho,
   seguindo o passo a passo básico de plantio, com argila, manta, substrato
   e cobertura de casca de pínus. No cachepô vazado da *Alocasia*, evite
   que o substrato escape pelos furinhos cobrindo a área interna com um
   pedaço de manta ou TNT antes de começar.
2. Posicione o *Phalaenopsis* do jeito que veio dentro do vaso de cerâmica
   e a mudinha de chifre-de-veado na tigela de madeira, depois ponha as
   duas peças na mesinha de cabeceira, ao lado da cama.

INGREDIENTES

PRO TERRÁRIO

1 pote plástico de 15 cm de diâmetro

2 punhados de brita

1 punhado de seixo "Fiji" verde-claro grande

1 tronco de 25 cm (vendido em lojas de aquário)

1 *Chamaedorea elegans* (pote 9)

1 cíclame branco (pote 11)

1 kg de substrato pra mudas

1 bolacha de madeira de 40 cm de diâmetro

2 orquídeas-pipoca (pote 6)

1 asa-de-anjo (pote 6)

1 bandeja de musgo-vivo "Fofão"

arame fino (se necessário)

2 tilândsias variadas

1 punhado de quartzo verde polido*

1 redoma de vidro de 30 cm de largura por 60 cm de altura (ou um cilindro alto de vidro)

1 seringa (ou um copo pequeno)

* *dá pra achar em mineradoras*

MODO DE FAZER

1. Pense na composição do terrário exatamente como pensaria num projeto de jardim, com diferentes alturas, formas, texturas, cores e um enfeite, igual contei na p. 72. Comece com o pote plástico: com uma tesoura afiada, corte um V pra deixar a borda irregular, posicione o tronco e firme com dois dedos de brita. Na parte de trás, ponha os seixos "Fiji", que se tornam verde-claros com a umidade, um efeito lindo! *.* A propósito, tudo bem se o tronco ficar um pouco frouxo; terminado o plantio e posta a redoma, o conjunto ficará consistente.

2. Plante a *Chamaedorea* e o cíclame depois de retirar o máximo possível do substrato em que vieram. Pra acomodar as raízes, ponha substrato novo – isso diminui o risco de fungos e bactérias.

3. Complete a base com as mudas de orquídea-pipoca e espete alguns galhinhos de asa-de-anjo. Ponha em cima da bolacha de madeira.

4. Esconda toda a lateral do pote com o musgo "Fofão", prendendo com arame se for preciso.

5. Molhe o substrato usando a seringa ou um copinho, decore com quartzo polido, ponha as tilândsias no alto do tronco (não precisa nem amarrar) e feche a redoma. Depois é só posicioná-la em cima da bolacha de madeira. Ufa, o mais complicado já foi!

INGREDIENTES

PRA ESTANTE

1 aspargo-ornamental (cuia 21)

1 jiboia (cuia 21)

2 cachepôs de tecido de 25 cm de diâmetro

2 pratos plásticos de 15 cm de diâmetro

1 vaso redondo de vidro de 15 cm de diâmetro com corda

1 barba-de-moisés (cuia 13)

1 bandeja de musgo-verde "Fofão"

1 bolacha de madeira de 25 cm de diâmetro

1 redoma de vidro Dwarf de 24 cm de largura por 45 cm de altura

1 antúrio-clarinervium (pote 9)

1 bacia de vidro de 20 cm de diâmetro e 8 cm de altura

2 peperômias-caperatas (cuia 13)

1 redoma de vidro com corda de 18 cm de largura por 35 cm de altura

1 bolacha de cerâmica de 30 cm de diâmetro

3 vasinhos de cerâmica variados (pote 6)

1 *Alocasia* "Tiffany" (pote 6)

1 *Dischidia ruscifolia variegata* (pote 6)

1 samambaia-havaiana (cuia 13)

1 punhado de quartzo verde polido

1 vaso de cerâmica branca fosca de 10 cm de diâmetro

1 musgo-bola (cuia 13)

1 vaso de cerâmica marrom fosca de 15 cm de diâmetro

1 calateia triostar (pote 11)

1 vaso de barro de 10 cm de diâmetro

1 *Ledebouria socialis* (pote 11)

1 cachepô de vidro de 10 cm de diâmetro

1 *Sansevieria cylindrica* "Boncel" (pote 9)

PRO JOGO DE TAÇAS

1 bolacha de cerâmica de 25 cm de diâmetro

1 taça de vidro pra vinho

1 *Procris repens* (pote 6)

1 taça de vidro pra absinto

1 *Pilea peperomioides* (pote 6)

1 copo de vidro pequeno

1 filodendro "Lua Clara" (pote 6)

1 *Oncidium pumilum* preso num graveto

1 punhado de quartzo verde polido

Rendimento:
2 taças cheias e uma guarnição e tanto!

Validade:
enquanto houver umidade nos vidros

MODO DE FAZER

1. Vá pro jogo de taças de vidro: plante cada miniatura de folhagem numa taça e reúna todas na bolacha de cerâmica. Vale improvisar com um prato bonito que você tenha em casa ou qualquer outra base que crie um agrupamento e evite respingos de água na estante. Enfeite com o *Oncidium* preso no graveto e o quartzo polido, que aparecerá ao longo deste projeto, gerando unidade.

2. Plante a barba-de-moisés no vaso de vidro suspenso e finalize com musgo "Fofão". Amarre a corda na barra interna da estante.

3. Na redoma de vidro que parece um chapeuzinho, ponha o antúrio-clarinervium no vaso em que veio, disfarçando o plástico com musgo "Fofão". Posicione a redoma em cima da bolacha de madeira, regue e feche-a.

4. As duas peperômias vão pra bacia de vidro baixa (que pode ser substituída por uma assadeira de vidro dessas de cozinha :P).

5. Na redoma com corda, disponha o trio de vasinhos de cerâmica (há modelos lindos que são, na verdade, copinhos de saquê, vendidos em lojas de artigos orientais). Aqui, mais uma vez, o conjunto precisa de unidade: escolha peças de cores similares, mas com formatos e alturas ligeiramente diferentes. Plante nessa redoma as delicadas *Alocasia* "Tiffany", *Dischidia* e samambaia--havaiana, espécies de claridade e muita umidade, perfeitas pra terrário. Não se esqueça da bolacha de cerâmica embaixo.

6. Hora de organizar os vasos e enfeites da estante, incluindo seus livros preferidos, objetos decorativos e outros itens que conversem com o "jardim". Ponha o aspargo e a jiboia nos cachepôs de tecido (lembre-se de colocar pratinhos dentro) e posicione essas espécies pendentes na prateleira mais alta, viradas pra janela.

7. Nas outras prateleiras, plante o musgo-bola no vaso de cerâmica branca, a *Sansevieria* no cachepô de vidro, a calateia triostar no vaso de cerâmica marrom e a graciosa suculenta *Ledebouria socialis* no vasinho de barro.

O terrário transpira ao longo do dia, especialmente quando faz frio. Evite ficar abrindo o vidro, isso desequilibra o ecossistema lá dentro.

Preferi usar mais peças de vidro, que dão leveza ao ambiente e são fáceis de limpar.

Capítulo 5
E VOCÊ, QUE SÓ QUERIA PRIVACIDADE...

Não importa o tamanho do banheiro, há soluções muito espertas pra acomodar plantas, trazer um relax extra pro espaço e ainda perfumar o ambiente

Folhas pequenas e opacas quebram o branco brilhante que domina a maioria dos banheiros.

Do cromado ao plantado

Já reparou como as coisas de banheiro brilham? Os azulejos são esmaltados, o espelho reflete, as bancadas reluzem e cada prateleira, toalheiro e porta-treco tem acabamento cromado. Tudo é pensado pra transmitir limpeza, apuro e até mesmo sobriedade ao cômodo associado aos nossos fluidos mais sujos e mundanos.

Pra sair desse formatinho-padrão e deixar o ambiente mais aconchegante, tudo que remete ao opaco e ao natural funciona. Quer ver só? Em vez de uma bancada de granito, que tal uma de madeira com os veios expostos? Porta-trecos de corda natural ficam uma graça e podem ser laváveis. Um roupeiro de bambu traz um pouquinho mais de fibras vegetais pro canto mais mineral da casa – basta lembrar a quantidade de superfícies de pedra, vidro e cerâmica que há nos banheiros. E, pra sambar na cara da sociedade, o azulejo brilhante bem que podia ser substituído por ladrilho hidráulico (eu sei, eu sei, é muito mais caro, mas dá um up e tanto...). A lista de coisas de origem vegetal é enorme; use a criatividade pra pensar em outras ideias.

Por que raios tô falando disso num livro de paisagismo? Porque as plantas podem ser um sopro de vida nesse lugar cheio de concreto. Seja como subproduto – madeira, linho, algodão, bambu e por aí vai – ou como vasos plantados, ter a natureza por perto faz uma enorme diferença.

Tem quem pire quando se trata de transformar bidê desativado em vaso gigante. Num capítulo Paisagismo-Vergonhoso da minha iniciação jardinística, achei que seria uma ideia genial ter um lago com espécies aquáticas no banheiro e, claro, o bidê me pareceu a solução perfeita. Deu bem ruim. Passei dias aplicando silicone pra vedar a louça toda, comprei bombinha de ar pra oxigenar a água e tudo o que consegui foi um monte de aguapés podres em poucas semanas. Nem te conto o cheiro que ficou...

Ainda no hall de Ideias Que Parecem Incríveis Mas São Uma Furada, outra sensação é o box-selva, em que um volume realmente impressionante de plantas divide o chuveiro com você. É lindo, mas não aguenta a falta de luz natural nem o vapor quente, sobretudo se você for friorento como eu.

Se desejar algo que dure mais do que uma foto pro seu *feed*, este capítulo tá recheado de ideias legais. Tudo verde e limpinho.

As plantas escolhidas sempre podem ser substituídas, é claro, mas lembre-se de fazer trocas pensando que a verdinha precisa ser de sombra e umidade. Seu banheiro vai ficar charmoso, verde e limpinho!

Melhor que um aromatizador

Não é o tamanho, e sim a luminosidade que torna um banheiro ou lavabo um espaço ideal pra receber plantas. Em troca de uma casa úmida e protegida no parapeito do box ou na bancada ensolarada, as verdinhas perfumam o ambiente ou filtram resíduos de substâncias tóxicas suspensos no ar – tô falando de amônias, xilenos, benzenos, formaldeídos e outros palavrões que aparecem nos rótulos de centenas de produtos de beleza, de esmaltes a tinturas de cabelo. (Pausa pra refletir sobre o tanto de poluente que temos *dentro* de casa...) Aqui vão as melhores soluções pra:

Perfumar

BANHEIRO ENSOLARADO:
embora não tenha flores vistosas, a mil-folhas produz um agradável cheirinho cítrico e adora umidade – ó que formosura!

RENTE À JANELA:
tuia-limão e minirrosa vão bem se receberem muito sol e alta ventilação, melhor ainda se o ambiente for meio frio.

NO LAVABO SEM LUZ:
ramo de alecrim num vidro com água tá manjado? E se ele ficar *dentro* da caixa acoplada da privada? Ahá, peguei você com essa saída ninja, admita!

Limpar o ar

BANHEIRO ENSOLARADO:
antúrio, *Chamaedorea elegans* e lírio-da-paz filtram muitos poluentes e são encontrados em diversos tamanhos.

RENTE À JANELA:
aposte nas incontáveis variedades de *Sansevieria*, da vitória à espada-de--são-jorge, passando por punhal, dedos-de-deus, lança-de-ogum...

NO LAVABO SEM LUZ:
folhagens de corte como areca e jiboia vão bem em arranjos na água. Se trocar a água a cada dois dias, elas durarão semanas.

Enfeitar

BANHEIRO ENSOLARADO:
muito usado como forração, o clorofito faz um tufo verde na bancada – plantá-lo num vaso alto vai valorizar sua forma.

RENTE À JANELA:
dica ninja é pôr a batata-doce orgânica pra enraizar num cachepô de vidro com água. As folhas ficam lindas e compridas rapidinho!

NO LAVABO SEM LUZ:
corte as flores do crisântemo rente ao cabinho e deixe-as boiando numa tigelinha com água. Dá pra desenhar mandalas incríveis com elas.

Açúcar? Analgésico? Fuja das ideias mirabolantes pra flor e folhagem de corte durarem mais. A melhor saída é mesmo trocar a água a cada dois dias.

Dica ninja é colocar a batata-doce orgânica pra
enraizar num cachepô de vidro com água.
As folhas ficam lindas e compridas rapidinho!

Dicas de ouro pra banheiros

REAPROVEITE POTINHOS BONITOS

Um vidro de perfume, a lata daquela pomada moderna pra cabelo, o frasco charmosinho de hidratante… Reúna esses objetos conforme o material – vidro, metal ou plástico – pra criar um mix de minicachepôs pra bancada.

PLANTE PERTO DO VITRÔ

Muitas trepadeiras floridas podem aromatizar seu banheiro, mas, como são grandes e precisam de sol, é melhor deixá-las do lado de fora, próximas ao vitrô. Entre as perfumadas estão a jasmim, a madressilva e a ervilha-de-cheiro.

NÃO CONDENE AS SUCULENTAS À MORTE

Não custa lembrar que cactos e outras plantas gordinhas têm água DENTRO das folhas. O vapor do chuveiro, a falta de sol e a umidade constante perto da pia são verdadeiros assassinos de suculentas, matando por apodrecimento. :,(

Ah, as banheiras de louça...

Casas e apartamentos antigos têm banheiros enormes, com banheira, bidê e louças vintage que fazem a alegria de quem ama planta. Se o ambiente for intensamente banhado por luz natural – janelões também eram comuns décadas atrás –, você pode explorar ainda mais possibilidades paisagísticas. Vale transformar a banheira em jardineira gigante ou mesmo arranjar uma tampa de madeira sob medida, criando uma mesona pra apoiar vasos de tamanhos diferentes. Se quiser usar o bidê pra plantar (nada de aquáticas, vai lá na p. 159 ver meu vexame...), uma boa é cobrir o ralo interno com camadas grossas de manta de drenagem, assim a terra não entope o cano. Em ambos os casos, não se esqueça que verdinhas pra banheiro precisam gostar de umidade e ficar de boa com umas horinhas de sombreamento, então, nada de tentar chantagear as espécies de sol pleno com adubo, tá?

Verdinho voyeur

Não precisa ficar tímido: estas plantas curtem dividir o banheiro e expor sua beleza sem nenhum pudor.

**SE O BANHEIRO TEM
MAIS SOL**

Encoste uma escada rente à parede e apoie tábuas nos degraus. Nos andares mais baixos e escuros, deixe toalhas e plantas de corte na água, no meio, um vaso com miniantúrio funciona bem e, no alto, vá de clorofito.

Um vaso estreito e alto não ocupa muito espaço no chão e valoriza o desenho comprido e fino da espada-de-santa--bárbara (nome popular que se dá à variedade com folhas de bordas claras da espada-de-são-jorge).

Em cima da caixa acoplada da privada, a batata-doce enraíza superbem no cachepô de vidro com água. Pra folhagem não perder o viço nem a batata apodrecer, plante-a na terra e em ambiente externo depois de alguns meses.

SE O BANHEIRO TEM
MAIS CLARIDADE

No andar mais alto da escada, deixe a *Chamaedorea*, palmeirinha resistente à baixa luminosidade. Nos intermediários, a samambaia-havaiana é bonita e ocupa pouco espaço. O jogo de folhagens de corte continua valendo aqui!

O vaso de chão ainda recebe um tipo de *Sansevieria*, mas, no lugar da *S. trifasciata*, opte por *S. mansoniana*, popularmente chamada de vitória. Essa espécie é supervalente em ambientes sombreados e úmidos.

No cachepô de vidro, plante uma hera bem longa. Há muitas heras nos garden centers, então, em vez das variegadas, de folhas rajadas de branco, prefira as de folhagem totalmente verde, que precisam de menos horas de sol.

Alguns produtos também embelezam
e cuidam das plantas.

5 itens de banheiro que as plantas curtem

1. TALCO

Não importa a marca ou o tipo de talco, ele tem dupla ação na vida das verdinhas: afasta insetos rasteiros e complementa o boro, um nutriente fundamental que raramente aparece nos adubos.

2. LEITE DE MAGNÉSIA

Perfeito pra combater doenças fúngicas e bacterianas, basta diluir uma tampinha do produto em um litro de água e pulverizar mensalmente as plantas com folhas pintadas ou manchadas.

3. SABONETE NEUTRO

Outro aliado do jardineiro esperto. Umas gotinhas de sabonete líquido no regador facilitam a penetração da água em solos muito ressecados. Use também pra exterminar pulgões e cochonilhas.

4. DUCHA HIGIÊNICA

Só quem ama plantas e tem vasos pela casa inteirinha consegue imaginar a maravilha que é encher o regador e molhar as plantas do banheiro com esse… devia chamar "miniesguicho", não?

5. ESCOVA DE DENTES

Quanto mais macia, melhor pra ter no kit de ferramentas úteis e incomuns na jardinagem. Lembra do sabonete neutro que mata pragas? Passe-o com uma escovinha velha, caprichando no verso das folhas.

5 objetos perfeitos pra virar vaso

1. SABONETEIRA DE PAREDE

Manja aquele modelo antiguinho pra sabonete líquido, que parece um ovo de vidro preso num aro de metal? Nemticonto, ele voltou a ser comercializado! Garimpe um procê que, sem o biquinho cromado, ele vira um vaso perfeito. S2

2. GRADE DE INOX

Existem mil tipos de suportes pra xampu, condicionador e cacarecos de banheiro, todos ótimos pra aguentar umidade e segurar vasinhos leves. Se for surrupiar uma gradinha dessas pras verdinhas, instale-a fora do box.

3. PORTA-QUALQUER-COISA

Toalhas, cotonetes, secador de cabelo… parece que cada utensílio que usamos no banheiro tem uma estrutura específica pra segurá-lo. Ponha as lentes verdes da jardinagem e veja qualquer uma como um excelente… porta-plantas!

4. LIXEIRINHA

É claaaro que você não vai botar uma verdinha naquela lata de lixo suja e encardida, mas que tem umas lixeirinhas bem lindas, ah, isso tem! Modelos sem tampa, de bambu ou madeira, são um luxo como vasos de chão.

5. TOALHAS

Este é o item "forçação de barra". Quase sempre vasos feitos com cimento e toalha são um atentado contra o bom gosto, mas vai que você faz um milagre, né? Nem sabia que isso existe? Tem mil tutoriais na internet, tijuro.

É possível substituir a calateia "Anel de Prata" por espécies em miniatura do mesmo gênero e a *Pilea glauca* por barba-de-moisés (há outras sugestões nos listões do capítulo 9).

INGREDIENTES

1 prato plástico preto de 40 cm de diâmetro

1 abraçadeira de náilon preta de 20 cm

75 cm de arame (usei um de 19 mm de espessura, mas pode variar)

1 cipó ou tronco de 30 cm (compre em lojas de aquário, pra garantir que sejam resistentes à umidade)

100 g de esfagno

1 kg de substrato pra mudas

1 fitônia (cuia 13)

1 mini *Phalaenopsis* branca (pote 9)

2 *Alocasia* "Black Velvet" (pote 6)

1 maranta-zebrada (pote 6)

2 calateias "Anel de Prata" (pote 6)

$1/2$ *Pilea glauca* (cuia 13)

$1/3$ de bandeja de musgo-vivo "Fofão"

1 tufo de musgo-vivo "Fofão" branco
(às vezes, ele vem no meio da bandeja de "Fofão" verde)

1 mini-lírio-da-paz (pote 9)

1 suporte de parede tipo "aranha" pra prato de 25 cm de diâmetro (encontrado em lojas de artigos de decoração ou na internet)

Rendimento:
1 microjardim
de parede

Validade:
enquanto o musgo
estiver vivo e verdinho

MODO DE FAZER

1. Com ajuda de uma tesoura bem afiada, fure o prato para depois pendurar na parede usando a abraçadeira de náilon.

2. Prenda o tronco (ou o cipó) ao prato passando o arame em dois ou três pontos pra firmar bem o conjunto. Gosto de posicionar o tronco de forma assimétrica, gerando um efeito mais natural (dê uma olhada na última imagem pra entender melhor o resultado). ;)

3. Umedeça o esfagno, misture-o com substrato e ponha uma bolinha frouxa desse material em cima do tronco. Envolva bem as raízes da fitônia com a mistura, deixando a folhagem ligeiramente debruçada sobre a madeira.

4. Retire a *Phalaenopsis* do pote em que veio e verifique se é possível remover um pouco do esfagno do vaso sem mexer nas raízes (quase sempre dá certo). Prenda a planta na parte mais alta do tronco, soltando as hastes pra que fiquem levemente pendentes, o que dá um volume mais interessante à composição. Não se preocupe com a terra no substrato, a *Phalaenopsis* é um gênero muito versátil de orquídeas que cresce mesmo se for plantada no chão.

5. Ainda com o prato em cima da mesa, encaixe a *Alocasia*, a maranta-zebrada e a calateia depois de envolver as raízes com esfagno e substrato. Pense na volumetria ao deixar uma mais alta e outra mais baixa, formando um estrato médio bem organizado.

Dê uma olhada na imagem final
pra entender melhor o resultado.

MODO DE FAZER (continuação)

6. Plante a *Pilea glauca* soltando bem a planta pra ter um belo efeito pendente. Se usar barba-de-moisés, talvez o resultado seja mais compacto, mas, com o tempo, ela também ficará longa.

7. Pegue uma placa inteira do musgo "Fofão" e cubra as raízes das plantas como se usasse um cobertor. É ele o plano médio da sua composição, funcionando ao mesmo tempo como "forração" e acabamento. Aproveite pra esconder com o musgo os arames que seguram o tronco.

8. Dê mais altura pra volumetria desse projeto plantando um mini-lírio-da-paz ao fundo. Lembre-se de sempre envolver as raízes em substrato e esfagno.

9. Arranjo do seu agrado? Agora é hora de fixá-lo. Passe uma aranha pela frente do prato, abraçando o "Fofão" e as raízes das plantas. Se tiver dificuldade de encontrar esse prático suporte de parede pra pratos, use mais arames, furando a lateral do prato e apertando bem no verso pra prender as pontas. Tanto a aranha quanto o arame "afundam" no musgo fofo e praticamente desaparecem. Ao finalizar, balance a peça pra ter certeza de que tudo está bem firme e, se preciso, prenda mais arames.

10. Regue em abundância, deixe escorrer bem na vertical e, quando não estiver mais pingando, coloque o prato na parede. Use exatamente essa técnica de retirar do prego todas as vezes que for regar (faça sempre que notar o musgo seco ao toque).

Depois de pronto, o arranjo fica com cara de "floricultura".

Capítulo 6
De taça e terra

Tudo numa cozinha parece predestinado a receber plantas, do pote de sorvete à xícara de chá; com criatividade, você consegue ter verdinhas até escalando a geladeira!

Não conheço lugar mais divertido pra um jardineiro do que uma loja de utensílios pra cozinha.

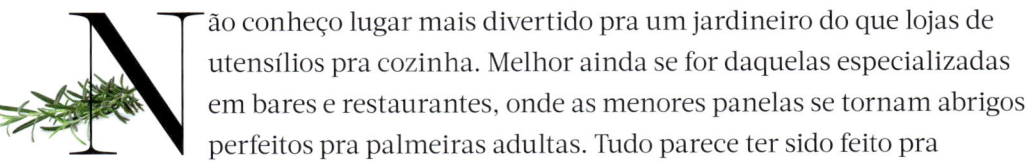

O paraíso dos jardineiros sem vaso

Não conheço lugar mais divertido pra um jardineiro do que lojas de utensílios pra cozinha. Melhor ainda se for daquelas especializadas em bares e restaurantes, onde as menores panelas se tornam abrigos perfeitos pra palmeiras adultas. Tudo parece ter sido feito pra receber plantas: de conchas a caldeirões, peneiras a fôrmas de bolo, expositores de cupcake a latas, potes, vidros e assadeiras, ah… é um paraíso, não disse?

E não são só as coisas parecidas com vasos, cachepôs e jardineiras que merecem um olhar mais atento, não. Objetos nada óbvios podem ganhar um uso criativo na jardinagem. Funis são excelentes pra despejar biofertilizante no gargalo do pulverizador. Com ímãs muito resistentes, barras magnéticas de parede seguram tesouras de poda e desbaste, além de canivetes e facas de floristas. Escorredores de talheres deixam à mão pinças, arames e palitos de bambu – aliás, um bom divisor de gavetas é meu grande aliado pra manter organizada a baguncinha de tralhas jardinísticas, que inclui rolhas, amarrilhos de pão de fôrma, plaquinhas de identificação e outras miudezas.

Nos artigos pra festa, então, eu me acabo. Há um sem-fim de expositores pra pudim, brigadeiros e balas de coco, pedestais que exibem bem-casados e estruturas charmosas pra armazenar casquinhas de sorvete… Tijuro, você vai pirar se visitar uma loja grande de utensílios pra quem cozinha profissionalmente, seja padeiro, doceiro ou vendedor de pastel de feira. Ah, e o que dizer dos carrinhos de pipoca? Das bicicletas de algodão-doce? Pensa num desses mostruários portáteis carregadinho de orquídeas, com plantas em várias prateleiras, protegidas do vento, *Vandas* se enroscando no vidro e uma hera bem cabeluda pipocando na panela onde se põe o milho pra estourar? (Eu ainda vou ter uma bicicletinha de plantas, ah, se vou!)

Como se não bastasse tanta boniteza, há um mar de taças. Quando comecei a vida de produtora de terrários, comprava vidros numa loja de artigos pra bares. Nem em sonhos eu imaginaria tamanha diversidade de formatos, alturas e cores: copos, bules, molheiras, garrafões, baleiros, saladeiras, bombonieres, baldes de gelo – já usei até um decanter todo estiloso pra montar um ecossistema fechado!

Torço pra que você tenha uma Disney dessas por perto e se divirta onde Mickey Mouse é nome de cacto, Hera Venenosa tem propriedades medicinais e Pateta é quem não vê que panela vira vaso num passe de mágica.

Enverdeça o coração da casa

A cozinha costuma ser um ambiente inóspito pra verdinhas que queiram viver fora do gavetão de verduras da geladeira, mas, curiosamente, é o primeiro lugar onde imaginamos uma horta. Por questões de segurança e performance, o fogão e a pia quase sempre disputam a área nobre de luz natural rente à janela. As paredes estão ocupadas por muitos armários e mesmo as bancadas costumam estar repletas de eletrodomésticos – cafeteiras, micro-ondas, fritadeiras elétricas, pipoqueiras, máquinas de fazer pão, grelhas portáteis... E o piso ainda precisa ficar livre pra circulação! O que sobra pros serezinhos clorofilados? Pois é... buracos. Você já sabe que planta não nasceu pra ficar no escuro, então vamos quebrar a cabeça pra enverdecer esse cômodo que, pra muita gente, é o verdadeiro coração da casa.

1.OCUPE O PARAPEITO DA JANELA

Pode conferir na sua cozinha: quase tudo o que está na beirinha da janela não precisa – ou não deveria – estar ali. Temperos, por exemplo, mantêm o aroma e as propriedades no breu mesmo, fechados na despensa. Torradeira e outros pequenos aparelhos elétricos duram mais quando protegidos da umidade. Potes plásticos acabam craquelando se ficarem constantemente expostos à insolação. Ó, dúvida cruel, quem poderia ficar no sol e na chuva sem estragar? #vaideplanta!

2. FURE O TETO

Tô com os dedos cruzados pro teto da sua cozinha não ser todo de gesso, porque não aguenta muito peso e periga um vaso se espatifar no chão enquanto você cozinha. Nada de gesso? Eba! Uns ganchos presos ao teto serão a saída esperta pra botar umas verdinhas no alto, onde não atrapalham a circulação. Faz muita fritura em casa? Eleja espécies de folhas duras, grandes e brilhantes, fáceis de limpar, como calateias, aglaonemas e espada--de-são-jorge. Elas filtram sujeira e cheiros fortes – melhor coisa não há.

3. DECORE COM COMIDA

Frutas lustrosas tipo maçã e manga, aveludadas como figo e pêssego, ou de formatos incomuns, que nem fisális e cupuaçu, rendem bonitos complementos de arranjos pra mesa. A folhagem pode ser composta por orégano e tomilho em vasos. Use fruteiras de madeira pra reforçar o ar rústico e proteja os alimentos do contato com a terra posicionando--os sobre filme plástico. Alho, cebola, brócolis e moranga também são superinteressantes esteticamente e podem dar um toque de glamour à composição.

Dicas de ouro pra cozinhas

PRATO, NÃO… ORQUIDÁRIO

Com dois suportes de parede pra pratos você consegue atar uma *Phalaenopsis* ou uma chuva-
-de-ouro a uma louça plana, escondendo o arame com musgo-vivo "Fofão" (versão simplificada
do arranjo da p. 168).

TÁBUA, NÃO… TRONCO DE ÁRVORE

Plantas epífitas curtem crescer abraçadas a galhos de árvores e arbustos. Se forem amarradas
em tábuas de madeira, elas nem vão se dar conta da diferença. O mesmo vale pra mudas de
avencas, samambaias e chifres-de-veado. :)

GELADEIRA, NÃO… PAREDE VERDE

Minicachepôs com ímã permitem que as plantas escalem geladeiras e outras superfícies
metálicas. Planta-batom, dedinho-de-moça e corações-entrelaçados são algumas das pendentes
em miniatura que ficam bem nesses vasos.

Paneleiro? Que nada, jardim suspenso!

Deixe as frigideiras no armário e traga pra pertinho da janela esse canteiro suspenso perfeito pra flores, folhagens e trepadeiras

SE A COZINHA TEM **MAIS SOL**

Sempre consulte um médico antes de usar qualquer planta como remédio!

Flores como capuchinha e gerânio-pendente se debruçam sobre o canteiro, criando um maciço bonito visto de baixo. Capuchinha é totalmente comestível, das folhas às flores e sementes, já o gerânio perfuma suavemente o lugar.

Sálvia e peixinho-da-horta têm um desenho semelhante a tufos prateados, são muito chamativos. Peixinho é uma PANC bastante popular que vai bem empanada ou frita. Já o uso da sálvia em chás e inalações ajuda contra asma, rinite, bronquite ou sinusite.

O orégano deve ser podado regularmente pra permanecer viçoso. A flor-de-cera enrosca-se nas correntes, formando graciosos buquês pendentes – ela e o gerânio são as únicas plantas perenes do mix, cuide bem e elas durarão muito.

Pesquise na internet sobre a polinização manual da baunilha e tenha paciência: a vagem da planta leva nove meses pra amadurecer.

SE A COZINHA TEM **MAIS CLARIDADE**

Todas as flores de begônia são azedinhas e comestíveis, mas a variedade pendente é a que se adéqua melhor a estruturas suspensas, escondendo o paneleiro depois de uns meses. Uma ótima companheira pra ela é a flor-de-maio.

Clorofito e ripsális são a dupla ideal pra preencher os cantinhos: as folhas se multiplicam depressa, exigem poucos cuidados e são fáceis de espanar ou lavar, se for necessário. Não são comestíveis, mas conservam a belezas por anos.

Acrescente aroma com a hortelã, que deve ser mantida em seu próprio vaso, pra não se alastrar. A baunilha – única orquídea comestível – se enroscará nas correntes e produzirá vagens perfumadas se for polinizada quando der flor.

Aramados, cromados, plantados

Resistentes à umidade e cheios de funções, os objetos aramados estão tão presentes nas cozinhas quanto seus primos ricos, os cromados. Escorredores de louça são feitos desse material vigoroso, assim como peneiras, fritadeiras e dezenas de porta-alguma-coisa. Estes são os meus esquemas preferidos pra transformá-los em suportes pra plantas sem parecer um experimento meio mambembe da aula de artes:

BOLA DE SUCULENTAS

Duas peneiras do mesmo tamanho podem ser fechadas com abraçadeira de náilon, ocultando dentro um grande pompom de esfagno: está pronta a base pra você cobrir de suculentas! Prefira as de caule não muito grosso, que passe através dos furinhos da peneira. Dá pra fazer bolas de tamanhos diferentes e agrupá-las presas ao teto, num canto ensolarado da cozinha. Pra regar, tire do suporte, leve à pia e, com uma seringa ou regador de bico fino, mire o esfagno, molhando bastante.

FOLHAGENS NA VERTICAL

Manja aquelas fritadeiras enormes que o rapaz da barraca de pastel usa pra mexer no óleo fervente? Encape o cabo com uma corda bonita – vale sisal ou qualquer outro fio grosso do seu agrado – e prenda minifolhagens variadas na grade, usando arame e esfagno molhado pra fixá-las. Ocupe todo o espaço até ser impossível desvendar qual é a base. Avenca de folhas bem miudinhas fica uma graça nesse suporte, acompanhada de orquídea Denphal, peperômia-caperata e diferentes tipos de marantas.

VERDE SUSPENSO

Falaí, escorredor de macarrão não é um vaso perfeito? Vem até com furos pra água escorrer e alças por onde passar a corrente e fixar o gancho de parede. Plante nele uma espécie pendente BEM cheia, pra esconder a estrutura ao máximo – se as plantas virarem grandes bolas verdes, o efeito será mais interessante. Outra saída é prender com arame placas de musgo "Fofão" em toda a parte externa do escorredor, criando um acabamento bem verdinho – um capricho justificável, já que o fundo da peça ficará à vista.

Uma salada portátil
passo a passo

O modelo da fruteira pode variar, mas é fundamental que as cestas sejam removíveis, assim você consegue mudar as plantas de altura à medida que forem crescendo.

INGREDIENTES

1 fruteira cromada de 3 andares com cestas removíveis (se tiver rodinhas, melhor ainda!)

1 spray cinza fosco pra metais

2 m de manta de drenagem

5 kg de substrato pra mudas

100 g de Bokashi

1 alecrim (pote 11)

1 tomilho (pote 11)

1 tomilho-variegado (pote 11)

1 sálvia (pote 15)

2 sálvias-roxas (pote 11)

1 salsinha (pote 11)

1 salsa-crespa (pote 11)

1 coentro (pote 11)

2 cebolinhas (pote 11)

1 pacotinho de sementes da sua verdura preferida

½ caixa de mudas de verduras

palha de pinheiro o quanto baste

Rendimento:
3 saladas por andar, uau!

Validade:
2 meses, mas você pode repetir o processo quantas vezes quiser

antes

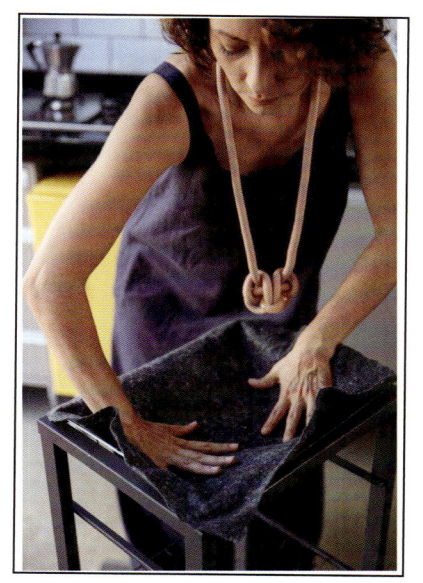

Uma salada portátil
passo a passo

Em vinte dias, será possível colher baby alface, agrião, rúcula e escarola.

MODO DE FAZER

1. Corte a manta de drenagem em retângulos grandes o suficiente pra cobrir o fundo e as laterais das cestas, de modo que sobre bastante nas bordas (você poderá dar um acabamento melhor depois do plantio), em seguida posicione uma manta em cada andar. Há várias cores disponíveis no mercado, mas prefira as pretas e cinza, que "desaparecem" embaixo das plantas.

2. Faça um leito de substrato por andar, adicionando uma mão cheia de Bokashi e misturando bem.

3. Na cesta mais alta, plante alecrim, sálvia e tomilho. Essas espécies, típicas de clima fresco, gostam de sol e solo mais drenado, por isso, regue-as menos. Consuma logo essas verdinhas, que já estão adultas e em breve começarão a ficar feias.

PERSONALIZE SUA FRUTEIRA

Caso seu modelo de fruteira tenha tampo no andar superior…, leve-a a um serralheiro e peça pra cortar a prateleira de cima, deixando uns três centímetros de moldura. Se você tiver habilidades com serra, consegue fazer em casa mesmo. A parte removida pode ser usada no andar mais baixo pra proteger o chão de respingos de rega, mais ou menos como se fosse um prato embaixo de um vaso de planta. Tinja a fruteira toda com o spray cinza fosco – além de protegê-la da umidade, ele dá uma modernizada na sua horta portátil. ;) Deixe secar num local arejado por um ou dois dias antes de plantar.

MODO DE FAZER (continuação)

4. No segundo andar vão as ervas pra tempero, como as muitas variedades de salsinha, coentro e cebolinha. Plante seguindo o passo a passo do item anterior. Essas ervas também precisam ser colhidas logo, pra que novas folhas possam nascer. Como necessitam de um pouco mais de água, essas espécies ficam na cesta do meio, recebendo o excedente de regas da cesta de cima.

SEMEAR, PLANTAR E COLHER COM PLANEJAMENTO

Quem tem cozinha ensolarada pode deixar essa fruteira por perto, tomando o cuidado de mantê-la longe do calor do fogão. Se o sol bate mais forte em outro cômodo, leve-a pra lá e só traga pra cozinha na hora de consumir – instalando rodízios, ela vai vir com mais facilidade até você! Quando as mudinhas de baixo estiverem com um palmo de altura, vão precisar de mais sol: troque a cesta de posição com a do primeiro andar – se você realmente estiver incluindo sua horta nas refeições, os temperos que estavam ali já vão ter acabado, então, você poderá usar essa cesta como berçário. Retire as raízes das ervas anteriores, complete com substrato, adube bem e semeie a próxima leva de verduras! Dá pra fazer o mesmo com a cesta do meio caso você não esteja comendo tão depressa as salsinhas e os coentros. Lembre-se de que o primeiro andar sempre terá mais sol e arejamento enquanto o último será mais protegido e úmido. Dica final? Divirta-se comendo sua horta! Trata-se de um projeto dinâmico, com novidades todos os dias! :)

Quanto mais solto, melhor o substrato pras mudas.

Mude a altura das gavetas sempre que as plantas do meio crescerem e colha as de cima.

MODO DE FAZER *(continuação)*

5. No andar rente ao chão, crie um berçário de mudas. Esse é o lugar perfeito pra próxima safra da horta germinar porque tem sombra e umidade garantidas pelas plantas dos andares de cima e pela água que escorre até a parte mais baixa da fruteira. Semeie suas verduras preferidas e plante mudinhas pra colheita precoce, alternando linhas de sementes e de mudas. Pulverize água delicadamente, mas em abundância. Acrescente uma fina camada de palha (usei sobras da poda de um pinheiro, mas servem cascas de pínus, folhas secas, aparas de grama e outros resíduos vegetais, duros e abundantes).

6. Corte o excedente de manta de drenagem da borda dos cestos e regue bastante.

Capítulo 7
VERDE COM VISTA PRO AZUL

Varandas são o cantinho de refúgio de muita gente e, com boas soluções, ainda podem incluir o churrasco, a criançada, a pizza no forno a lenha e até uma rede nas alturas

Plantar um jardim, mesmo em vasos, é convidar a vida pra se achegar e ficar. ♡

O melhor lugar do apê

O sonho de ter um quintal é tão presente que logo inventaram um jeito de quem mora em apartamento contar com um refúgio desses sem precisar comprar a cobertura: a varanda. *Gourmet* ou *mignon*, esse espaço "externo" voltou a despontar nos empreendimentos imobiliários mais modernos, oferecendo ao mesmo tempo um canto verde, uma vista bonita e um lugar onde tomar ar fresco, reunir os amigos, soltar o cachorro e até cozinhar pra família.

Com tantas propostas, o projeto desandou. Agora, a primeira coisa que a gente faz é envelopar tudo com vidro, porque o ar não anda nada fresco e entram pó, poluição e barulho pela varanda. Redes de proteção são instaladas e o "cômodo" vira uma extensão da sala, com sofás, mesas, cadeiras e o que mais a metragem comportar. E ainda precisa caber a grelha, o forno de pizza, a bancada da pia pra apoio, a mesinha entre as poltronas...

Tenho visto muita gente dizer que gostaria de ficar mais tempo na varanda, mas não aproveita porque o lugar é _____ (complete com um ou mais adjetivos: quente, congelante, barulhento, feio, devassado, apertado, pouco acolhedor). Alguma dessas queixas fez sentido pra você? Então, simbora mudar o cenário com a ajuda das verdinhas!

Talvez seja necessário tirar um pouco dos móveis, afinal, não é todo mundo que tem uma varanda tão grande quanto um quintal. Acho bem provável que você precise desentulhar o lugar antes de incluir plantas: uma cadeira pode ganhar outro cômodo, mas uma janelona com luz natural é o sonho de qualquer ser clorofilado. Mesmo que seja quente. Ainda que a vista seja horrorosa. Apesar do barulho e da sujeira. Não falei que as verdinhas são pessoinhas incríveis?

A mágica acontece mesmo quando, depois de tanto tirar coisa inanimada e botar planta, você se dá conta de que, até se for pra sentar no chão, a varanda virou seu canto preferido da casa. Já não é um forno, mesmo nos dias de verão. Talvez tenham surgido borboletas pra encher o lugar com mais vida. E o barulho lá fora está cada vez menos perceptível, porque a paz interior é tão grande que até as buzinas se calaram. O.k., o.k., as buzinas talvez não diminuam, mas vai dar pra ouvir os pássaros, que estarão logo ali, fazendo ninho nos seus vasos.

9 Segredinhos pra dissolver a aridez

Pra varanda não se tornar apenas uma sala a mais ou uma cozinha extra, aproveite o que ela tem de mais característico: as janelas amplas. Ainda que a vista dê pras costas de outro prédio ou pra um poste cheio de fios, a abundante luz natural é o ponto de partida pras plantas acabarem com a aridez do lugar. Aqui vão uns bons truques.

1

Se o piso for frio, explore móveis de fibras naturais pra quebrar o excesso de reino mineral e trazer aconchego: mesas, bancadas e banquinhos de madeira bruta, poltronas de rattan, fruteiras de vime, vasos de corda e por aí vai.

2

Madeira e terracota são velhas amigas: em varandas com revestimento de taco ou carpete de madeira, trabalhe o paisagismo com vasos de barro de vários tamanhos, formatos e graus de envelhecimento. Sempre funciona!

3

Não dá pra esconder a vista feia? Atraia a atenção pra um arbusto superescultural, um painel vertical exuberante ou uma coleção encantadora de orquídeas floridas. Ninguém vai querer olhar pra fora.

4

A saída do ar-condicionado é absolutamente imprópria pra plantas vivas, mas pode ser disfarçada com folhagens artificiais de boa qualidade. Pra obter um resultado mais natural, isole o canto com um biombo.

5

Em varandas baixas, opte por cercas vivas de no máximo 1,50 m, pra não vedar completamente a luz. Nessa altura, elas garantem sua privacidade, bloqueando a visão de quem olha da rua. Na p. 103 tem algumas sugestões inspiradoras.

6

Com os tons neutros em alta, os arranjos floridos são uma forma elegante de levar cor pra varanda. Dê uma olhada nas dicas de composição cromática do capítulo 1 pra acrescentar um colorido que "converse" com a decoração do lugar.

7

Quanto mais folhagens, mais fresca será a varanda, já que, na transpiração, as plantas enchem o ar de vapor de água. Mantenha os vasos cobertos com palhinhas, assim as regas podem ser menos frequentes e mais eficientes.

8

Atenção: mora numa cidade mais fria e tem aquecedor na varanda? O calor emitido pode matar as verdinhas. Retire os vasos de perto quando o aparelho estiver ligado.

9

Espécies pendentes resolvem duas tretas de varanda: ao mesmo tempo que liberam espaço no chão, as folhagens densas criam uma barreira acústica, diminuindo o ruído da rua. Quanto mais cheia a planta, melhor!

Não gire demais os vasos, pondo subitamente o que estava à sombra no sol e vice-versa, isso pode matar a planta!

Dicas de ouro pra varandas

APROVEITE A ALVENARIA AO MÁXIMO

Jardineiras acopladas ao guarda-corpo são excelentes lugares onde começar uma horta. Tetos e paredes fornecem estrutura pra vasos suspensos e painéis verticais, soluções que não roubam espaço de chão.

VERIFIQUE O CAMINHO DA ÁGUA

Quanto mais plantas, menos tempo você vai querer gastar indo e vindo com um regador. Antes de enverdecer o cômodo, confira se há saída de água onde prender esguicho e ralo pra escoar o excesso das regas.

GUARDA-CORPO QUE GUARDA PLANTA

Se houver uma grade na varanda, aproveite pra usá-la de apoio pra vasos de parede – há modelos com um gancho feito especialmente pra isso. Sempre deixe os vasos virados pra dentro, prevenindo o risco de caírem e machucarem alguém.

Traga o lá fora aqui pra dentro

CHAME OS BICUDOS

Pássaros sentem muita sede nas grandes cidades, então, oferecer água fresca diariamente pode ser mais eficiente pra atraí-los do que apenas colocar comida. Invista em mamão, laranja e banana pra aves frutívoras, e em alpiste, painço e níger pras espécies gramívoras. Girassol atrai periquitos e papagaios.

PLANTE FRUTAS

Algumas frutíferas vão bem em vasos desde que sejam giradas uns quinze graus, mensalmente, pra que a planta receba sol em todos os ângulos. Abacaxi, melão, morango e melancia preferem jardineiras de até 40 cm de profundidade enquanto romã, amora, goiaba, pitanga e jabuticaba pedem vasos maiores.

AUMENTE A CLARIDADE

Quanto mais escuros forem pisos, móveis e revestimentos, menor a varanda vai parecer, especialmente se ela for *mesmo* apertada. Nesse caso, priorize as folhagens claras e as flores brancas pra aumentar a impressão de luminosidade. Em vez de uma samambaia comum, por exemplo, opte pela samambaia-prateada.

SIMULE UM QUINTAL

Uma forma divertida de realçar a ideia de "lá fora" é cobrir o ralo e o piso frio com manta de drenagem e fazer um cantinho de areia na varanda, tipo uma praia minúscula. Ou usar seixos arredondados pra separar minideques de madeira, criando um caminho entre os vasos cheios de plantas.

Onde há vidro, há calor

Qualquer um que tenha envidraçado a varanda sabe que a solução tem seus prós e contras. O.k., a chuva não molha mais o interior do apartamento e o vento não obriga as pessoas a saírem dali, mas o calor aumenta a um ponto que talvez seja preciso comprar um ar-condicionado. Sem falar que dá trabalho ficar abrindo e fechando a vidraça e, depois de uns meses de novidade, você provavelmente a manterá sempre fechada. Resumindo: vidro na janela deixa o cômodo especialmente quente. Por isso, tão importante quanto acertar na escolha das plantas de meia-sombra é eleger aquelas de clima tropical, que curtem altas temperaturas e vivem num ambiente abafado numa boa.

Espaço otimizado na varanda

Duas jardineiras, dois vasos e um suporte de parede são a base dessa composição repleta de verdes e texturas, mas superfácil de cuidar.

SE A VARANDA TEM **MAIS SOL**

No patamar mais baixo das jardineiras, plante xanadu; no andar de cima, vá de angelônia. O contraste de desenhos e cores entre as plantas é facilmente perceptível e fica ainda mais interessante depois que a folhagem cresce.

Na grade na parede, um mix de espécies de meia-sombra fornece texturas e perfumes. Escolha onze-horas e nepeta-variegada pra um efeito pendente, singônio e jiboia como folhagens, e maracujá como trepadeira.

No vaso mais alto, a clúsia podada reforça o desenho de arvorezinha – essa espécie nativa aguenta muito calor! No vaso mais baixo, o desenho espigado da orquídea *Epidendrum* atrai a atenção mesmo sem flores.

Algumas plantas aparecem nas duas simulações porque são bem flex. aceitam tanto o local mais ensolarado quanto o com mais claridade.

SE A VARANDA TEM **MAIS CLARIDADE**

Sim, você vai repetir o xanadu na jardineira mais baixa, mas investigue se a planta veio de estufa, isso a torna muito mais adaptável pra ambientes sem muito sol. Na jardineira acima, a falsa-íris produz flores que parecem orquídeas.

Avenca, asplênio, *Polypodium*, chifre-de-veado e samambaias de várias espécies enchem os olhos em vasos presos à grade na parede. Se quiser, use também jiboia ou singônio; o melindre é uma ótima escolha como trepadeira.

O desenho de arvoreta fica a cargo do fícus-lirata, que precisa receber pelo menos duas horas de sol fraco por dia. Com flores grandes e vistosas no inverno, a orquídea *Phaius tankervilleae* completa a composição.

INGREDIENTES

2 caibros de madeira de 1,90 m × 5 cm × 5 cm

2 caibros de madeira de 1,20 m × 5 cm × 5 cm

1 caibro de madeira de 1,10 m × 5 cm × 5 cm

buchas e parafusos longos

1 lona plástica preta grossa de 2,5 m de comprimento por 1,5 m de largura

1 grampeador de tapeceiro com grampos

2 telas de 1,2 m de comprimento por 1 m de largura (compre em lojas de material de construção)

21 vasos de parede pretos

10 kg de substrato pra mudas

500 g de Bokashi

1 caixa de vermiculita

500 g de areia grossa

1 saco de abraçadeiras de náilon pretas tamanho médio

3 jiboias (cuia 21)

4 aspargos-ornamentais (cuia 21)

3 clorofitos (cuia 21)

3 avencões (pote 15)

4 samambaias-americanas na meia-cuia

1 chifre-de-veado (cuia 21)

1 samambaia-havaiana (cuia 13)

1 samambaia-do-amazonas (pote 15)

1 avenquinha (pote 15)

1 samambaia-de-metro na meia-cuia

1 lambari-roxo (cuia 21)

2 filodendros "Brasil" (cuia 21)

1 lambari (cuia 21)

1 *Ficus altissima* (pote 40)

1 vaso Verona âmbar 50 cm de largura por 37 cm de altura

1 saco de 5 kg de casca de pínus tamanho médio

1 *Sansevieria* "Jiboya" (pote 20)

1 cachepô esmaltado Atlantis 60 cm de altura por 45 cm de largura

1 ráfis de 1 m

1 vaso preto de 25 cm de largura por 32 cm de altura

1 *Dieffenbachia amoena* "Vesuvius" (pote 17)

1 vaso Copacabana camurça de 25 cm de largura por 32 cm de altura

1 *Phalaenopsis hybrid* (pote 15)

1 cachepô de cerâmica preto de 20 cm de diâmetro

Rendimento:
2 m de parede verdejante

Validade:
décadas!

antes

O fundo preto produz uma ilusão de ótica e faz o painel parecer muito maior do que ele realmente é.

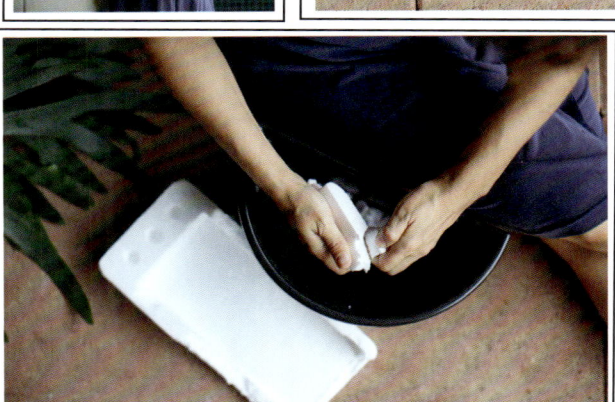

Vermiculita aumenta a umidade, evitando que a terra resseque, já a areia drena rápido o excesso de regas, impedindo que o solo encharque.

MODO DE FAZER

1. Instale os caibros na parede com a ajuda de uma furadeira. Posicione os dois maiores na vertical e o menor no centro, formando um grande H. Depois, use os dois que faltam pra fechar a estrutura em cima e embaixo.

2. Com o grampeador de tapeceiro, prenda a lona plástica nos caibros – uma forma muito esperta de quem mora de aluguel proteger a parede. ;) Quer um resultado mais durável e menos trabalhoso? No lugar da lona, impermeabilize toda a parede passando um rolinho com tinta asfáltica.

3. Plante todos os vasos seguindo a mesma sequência: fure embaixo e na parte reta usando a tesoura de desbaste, faça um leito misturando substrato pra mudas e um punhado de Bokashi, posicione a planta e complete com mais substrato, firmando bem. Atenção pra duas exceções na hora de plantar: no caso das plantas que vão ocupar as linhas superiores e as bordas do desenho e, consequentemente, receber mais insolação, acrescente ao substrato dois punhados de vermiculita por vaso; e, nas plantas da linha mais baixa, adicione dois punhados de areia por vaso. Dessa forma, você precisará regar menos as linhas de cima, que ressecam primeiro, e não terá problemas com encharcamentos nas linhas inferiores, que recebem o excedente da rega do painel inteiro. Finalize com casca de pínus.

4. Passe as abraçadeiras de náilon pelos furos superiores dos vasos, dê uma volta na grade e feche os lacres o mais justo que conseguir. Repita o processo até posicionar toda a linha superior da primeira tela. Aqui, usei jiboia, aspargo e jiboia (outra vez).

208

Monte os vasos ANTES de instalar a grade. Se quiser uma ordem diferente do que mostro aqui, faça um esboço pra não se perder na montagem.

MODO DE FAZER (continuação)

5. Ao posicionar a segunda linha de vasos, **encaixe-os de modo que fiquem desalinhados** com a linha superior, como numa parede de tijolos. Assim, as plantas têm mais espaço pra explorar e cobrem a parede rapidamente. #dicaninja Minha segunda linha tem clorofito e dois avencões plantados na mesma cuia.

6. A terceira linha é composta por samambaia-americana, chifre-de-veado e clorofito. A linha abaixo, por samambaia--americana e samambaia-de-metro, com um vaso pequeno de avenquinha no meio (fure a borda como faria com os vasos de parede). Agora, saca só o pulo do gato da quarta linha: nas duas bordas, pus vasos pequenos pra dar acabamento – à esquerda, a samambaia-do-amazonas, e, à direita, a samambaia-havaiana. Não se preocupe com a falta de padrão, a folhagem das plantas de cima e de baixo esconde bem o vaso menor, desde que ele seja preto.

7. O exuberante lambari-roxo, a jiboia e o aspargo fazem a quinta linha do meu painel vertical, na segunda tela. Abaixo deles, usei aspargo e samambaia-americana, completando a lateral direita com avencão. Nas duas últimas linhas, a montagem foi esta: clorofito seguido de dois vasos de filodendro "Brasil" e, embaixo, samambaia, lambari e aspargo. Mude a ordem das plantas como preferir, lembrando de deixar os aspargos num lugar mais ensolarado e as avencas protegidas do vento, numa posição que preserve sua umidade.

O painel pode ser feito do tamanho que você quiser em serralheiro, mas, quanto menores os módulos, mais fácil e leve pra montar.

Alguns produtores já comercializam espécies pra painéis verticais plantadas em meia-cuia: basta instalar o vaso na tela. nem precisa replantar!

MODO DE FAZER (continuação)

8. Com ajuda de duas ou três pessoas, prenda as grades aos caibros – aqui, me socorreram Juliana Valentini e Flores Welle, meus amigos queridos de Holambra. Use uma escada alta e os dotes de alguém habilidoso com furadeira – depois de molhada, a estrutura ficará ainda mais pesada!

9. Plante o *Ficus altissima* no vaso âmbar, a *Sansevieria* no cachepô esmaltado, a ráfis no vaso preto e a *Dieffenbachia* no vaso camurça. Finalize o projeto posicionando o vaso de *Phalaenopsis* no cachepô de cerâmica em cima da mesa.

10. Regue tudo em abundância.

IRRIGAÇÃO AUTOMATIZADA VALE A PENA?

Plantas que ficam no tempo tomando chuva podem ser regadas numa boa com um esguicho, mas, quanto mais vasos tiver o painel vertical, maior o trampo. Pensa bem, verdinho, se você vai MESMO ter paciência de molhar vasinho por vasinho duas, três vezes por semana… Jardins verticais grandes ou em áreas de difícil acesso exigem irrigação automatizada: sem ela, o investimento em planta, tempo e dinheiro irá por água abaixo em poucos meses. Nas lojas de material de construção há kits de irrigação que você mesmo monta e instala, ideais pra pequenos painéis. Caso o projeto tenha muitos vasos, contrate uma empresa de irrigação. Qual é a melhor opção? Olha, bom mesmo é instalar a irrigação logo na montagem do painel – acrescentar mangueirinhas e gotejadores numa estrutura já pronta custa caro e dá o dobro de trabalho. #carolsincerona

Capítulo 8
ENFIM, CHÃO!

De quintais de terra a áreas abertas pavimentadas, um apanhado de dicas espertas pra você aproveitar ao máximo o espaço a céu aberto e torná-lo sua pracinha particular

Sou toda pó, lajota e fúria: sonho em destruir os quintais cimentados e transformá-los em jardins plantados no chão.

Una esforços, chame gente

Tenho um sonho desde que virei apresentadora de programas de jardinagem na TV e no YouTube: chegar numa casa com uma britadeira e arrebentar o piso do quintal in-tei-ri-nho. Não deixar um ladrilho sequer, manja? Na minha cabeça, essa cena passa em câmera lenta ao som do "Dies Irae", o famoso réquiem de Mozart, enquanto sou toda pó, lajota e fúria.

Vai ser lindo quando acontecer, tijuro. Porque, depois de limpar os destroços, o que aguarda não será terra arrasada, muito pelo contrário, vai ser a grande volta do quintal da sua infância, a terra prometida de árvores, arbustos e folhagens, com uma rede sossegada onde curtir a *modorra*, essa palavrinha desaparecida em tempos de alta performance. Onde mais aproveitar a preguiça de um fim de tarde senão no próprio quintal, ouvindo os pássaros, sentindo o cheiro de fruta no pé e torcendo pro dia não acabar?

Em busca de uma falsa ideia de praticidade, a gente foi cimentando os quintais. Minha mãe mesma fez isso assim que botei os pés na faculdade, com a mesma desculpa que ouço em todos os lugares: "Ah, filha, fica mais fácil de limpar". Só que a turma da jardinagem logo sente falta de um ambiente mais fácil *de sujar*, onde possa mudar uma planta de vaso sem se preocupar com cada torrão de terra e casca de pínus que cai. Um cantinho de grama fresca pra caminhar descalço ou aquele canteiro no qual cuspir sementes de melancia.

Qual o nome dessa maravilha toda? Pois é, QUINTAL. Se você já está meio arrependido de ter aplicado aquele porcelanato caro, enchido o espaço ao ar livre com deque de madeira e escolhido deixar as plantas todas em vasinhos, engole o choro porque tem solução. E como eu tô muito fada hoje, nem envolve britadeira (mas bem que poderia…).

Então, verdinho, antes de se aventurar pelas próximas páginas sobre esse que é meu cômodo preferido – tão longe da realidade de uma jardineira de apartamento… –, vou deixar uma recomendação. Una esforços, chame gente. As transformações no quintal são impactantes, mas trabalhosas, e não quero que você desanime logo de cara. Organiza um churras pra comemorar o Dia do Grande Plantio, convida amigos e familiares fortes e saudáveis pra fazer canteiros (nem que seja sobre lajes) e vamos reflorestar esse canto tão amado da casa. Uma coisa é certa: você vai desejar ter mais terra pra brincar.

Por que raios construir canteiros?

Pode parecer o contrário, mas manter as plantas isoladas em vários vasos num quintal cimentado dá mil vezes mais trabalho pra cuidar do que se estiverem juntas num canteiro, mesmo que ele seja dez vezes maior que a soma dos vasos. Explico isso na p. 40, mas é sempre bom lembrar que quanto mais terra puderem explorar, melhor as verdinhas se viram: sentem menos quando você esquece de regá-las, demoram mais pra se incomodar com excesso de água, se tornam mais resistentes a pragas e doenças, e acham sozinhas muitos dos nutrientes de que precisam. Ainda assim, bastante gente se pergunta se realmente vale a pena construir canteiros sobre piso… Aqui vão outros benefícios.

1. SÃO RÁPIDOS DE MONTAR

Você não precisa necessariamente de tijolos pra erguer estruturas pra plantas. Pedras, toras de eucalipto tratado e blocos de concreto celular são alguns dos materiais mais usados em canteiros pela rapidez na montagem. Não se esqueça de impermeabilizar as superfícies expostas ao tempo e ao substrato.

2. SE ADEQUAM A VÁRIAS ALTURAS

Experimente criar canteiros modulares, desde os mais baixos, com trinta a quarenta centímetros de profundidade, até os mais altos, com mais de um metro de altura. Eles formam grupos visualmente mais atraentes, quebrando a monotonia do ambiente e possibilitando que você explore plantas pequenas, arbustos e até árvores.

3. VIRAM PEÇAS DE MOBILIÁRIO

Que tal incorporar um banco ou mesinha ao canteiro? Integrar o mobiliário é uma solução que aproveita muito bem o espaço e torna o quintal mais agradável. Você terá não só um jardim, mas também assentos onde curtir a paisagem, um apoio pra tomar um chá num dia frio ou uma bancada pra pôr o regador.

4. DIFICULTAM O ACESSO DE PETS

Cachorros são os maiores impactados por canteiros elevados: plantas a meio metro do chão estão menos expostas, o que requer uma determinação muito maior pra destruição. Se o canteiro estiver adensado e o nível de terra uns cinco dedos abaixo da borda, o trabalho de escavação se torna bem complicado…

5. FACILITAM O ACESSO DE HUMANOS

Plantar e colher são tarefas que exigem bastante das nossas costas. Canteiros na altura da cintura poupam a gente de muito agacha e levanta e são fundamentais pra idosos e pessoas com dificuldades de locomoção. Depois que você se acostuma, não quer canteiro no chão nunca mais.

Adapte essa ideia pra canteiros pequenos seguindo a mesma montagem da espiral de ervas que mostro na p. 226.

Vale até pra quem mora de aluguel

Pasme: dá pra construir canteiros sem quebra-quebra, protegendo o piso com uma manta de drenagem bem grossa e apenas EMPILHANDO tijolos. Isso mesmo, sem argamassa, sem sujeira e completamente reversível se você tiver de devolver o imóvel. O segredo é deixar o canteiro com o desenho arredondado, mais estável do que os quadrados e retangulares (usar uma parede ou mureta de apoio também ajuda). Vale evitar canteiros muito altos – não ultrapasse a altura de sete fiadas de tijolos, posicionadas com um pequeno vão entre elas. Cubra todo o interior com manta de drenagem, deixando sobrar bastante nas bordas, e plante seguindo as camadas de um vaso (argila, manta de drenagem de novo, leito de substrato misturado com Bokashi, torrão de raízes, substrato outra vez, palha e água). O peso dos tijolos, o desenho arredondado e o trabalho das raízes agregando a terra preservam a estrutura intacta por muitos anos, mesmo que não esteja concretada.

E não é que cabe planta?

Construídos em blocos de concreto celular, esses canteiros integrados ao banco são a base perfeita pra plantar de árvores a flores.

SE O QUINTAL TEM MAIS SOL

No canteiro alto, plante arecas ao fundo e orquídea-grapete à frente. A folhagem da palmeira faz um bonito contraste com o plissado dessa que é uma das orquídeas mais perfumadas e fáceis de cuidar que existem.

Do lado esquerdo, a laranjinha--kinkan cria um volume médio, reforçado pela folhagem longa e fina do fórmio-roxo. Ambas as espécies crescem melhor em locais de clima fresco, com verões amenos.

No primeiro plano, o canteiro menor recebe touceiras de lavanda, arbusto de mil utilidades usado pra preparar chás, aromatizar gavetas e atrair abelhas e outros insetos polinizadores.

Deixe as espécies maiores pro canteiro mais fundo
e ocupe o mais raso com plantas de raízes menores.

SE O QUINTAL TEM **MAIS CLARIDADE**

No lugar da areca, que precisa de uma quantidade muito maior de horas de sol, experimente a *Chamaedorea*, outro gênero de palmeira fácil de encontrar nos garden centers e mais resistente ao sombreamento.

O curcúligo e a grapete são tão parecidos que, antes de darem flor, mal dá pra diferenciá-los. Enquanto as flores da orquídea são roxas e ficam expostas, as do curcúligo são amarelas e surgem rente à terra.

Com poucas horas de sol, o fórmio comum vai melhor do que o roxo, cor que passa pra outra espécie arbustiva, a leia-roxa. O acabamento do canteiro menor fica a cargo da sálvia-azul, igualmente medicinal e atrativa pra abelhas.

Dicas de ouro pra quintais

SUAVIZE OS MUROS

Quanto mais escuras e cobertas pela vegetação estiverem as paredes, maior vai parecer o quintal. Lembra a dica de emprestar a paisagem do vizinho, que mostrei lá na p. 61? Use aqui sem moderação!

PONHA CURVAS NO QUADRADO

Ambientes estreitos, pequenos ou muito quadradões pedem um projeto paisagístico que quebre a monotonia e acabe com a impressão de "bati os olhos e já vi tudo". Crie caminhos sinuosos, brinque com as curvas.

SE IMAGINE CURTINDO O LUGAR

Um chuveirão num cantinho pode ser um grande atrativo numa casa litorânea. Quiosques, treliças e pergolados nos convidam a permanecer mais tempo no quintal, tornando-o ainda mais especial.

Mais verde que a do vizinho

Os donos de quintais bem ensolarados têm muuuitas opções se quiserem investir em gramados. O segredo pra uma grama sempre verde? Toneladas de água. Mas já aviso: grama não cresce onde há sombra, não adianta insistir. Quanto mais sol e água, mais vistoso será o tapete verde. Aqui vão as espécies mais comuns, da mais fácil de manter à que exige mais adubo, poda e rega:

BATATAIS cresce espontaneamente em várias regiões do Brasil, cobrindo solos abandonados e pobres em adubo, daí ser tão usada em beira de estrada. *Boa pra:* **fazendas e grandes áreas**.	**SÃO CARLOS** rústica e de folhas largas, aceita seca, frio e sombreamento, tornando-se a escolha perfeita pra áreas nobres e casas de campo. *Boa pra:* **regiões serranas e locais de meia-sombra**.	**BERMUDAS** tapete verde mais famoso nos estádios de futebol; cresce super-rápido, então mantenha a roçadeira à mão! *Boa pra:* **campos de futebol**.
SANTO AGOSTINHO melhor espécie pra áreas litorâneas porque resiste tanto à maresia quanto às pragas e doenças mais comuns em gramados. *Boa pra:* **casa na praia**.	**ESMERALDA** comum em projetos de paisagismo, é macia, resistente a pisoteio e de crescimento lento; requer poucas podas anuais e regas semanais. *Boa pra:* **fachadas e quintais ensolarados**.	**JAPONESA OU COREANA** difícil de encontrar, tem folhas macias e fininhas, além de um verde bem brilhante; por pedir mais manutenção, use em áreas pequenas. *Boa pra:* **jardins orientais**.

INGREDIENTES

5 m de corda ou barbante grosso

120 tijolos (não precisam ser novos)

250 kg de substrato pra mudas

1 kg de Bokashi

1 alecrim (pote 40)

5 manjericões-roxos (pote 15)

5 mudas de tagetes

3 manjericões (pote 15)

3 tomilhos-variegados (pote 15)

1 tomilho (pote 15)

1 orégano (pote 15)

3 girassóis (pote 11)

5 lavandas (pote 15)

2 pimentas (pote 15)

3 sálvias (pote 11)

2 sálvias-variegadas (pote 11)

5 mudas de torênia

1 salsa-crespa (pote 11)

1 salsinha (pote 11)

1 coentro (pote 11)

2 hortelãs (pote 15)

2 boldinhos (pote 11)

MODO DE FAZER

1. Com a corda, faça um desenho de caracol no chão, ajustando o formato pra que a largura interna de cada corredor seja de pelo menos um palmo.

2. Comece pela ponta externa do desenho, posicionando os tijolos um a um. Pare quando estiver chegando no C final do centro da espiral. Repita a operação aumentando aos poucos a quantidade de fiadas de modo que o centro fique mais alto do que o começo do caracol e os vãos entre um bloco e outro não coincidam. Retire a corda.

3. Despeje substrato pra mudas a partir do centro pras bordas, iniciando justamente no miolinho, onde não há tijolos.

Rendimento:
saladas, chás e sucos frescos de montão

Validade:
garantia de alimento na safra durante o ano todo!

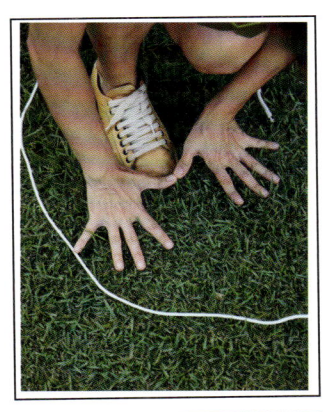

Este projeto pode ser adaptado pra ambientes pavimentados desde que o piso seja muito bem impermeabilizado e aguente o peso.

MODO DE FAZER (continuação)

4. Quando o substrato estiver no nível da última fiada, finalize o desenho interno com mais tijolos. A ideia é evitar o desperdício onde eles ficarão completamente soterrados. A altura máxima no centro da espiral não deve ser maior do que sete tijolos.

5. Plante o alecrim, complete com substrato e Bokashi e firme o colo da planta com as mãos. Acompanhando o desenho, do centro pras bordas, plante os manjericões, as tagetes, os tomilhos e o orégano voltados pro norte, de onde receberão sol o dia todo. Reserve pra borda externa as espécies menores e mais densas.

6. Voltados pro oeste, plante os girassóis e as pimentas. Se fizer muito calor, prefira plantar as lavandas voltadas pro leste, que é menos quente.

7. Na face sul, mais fresca e sombreada, plante verduras em geral, hortelã (enterre com vaso e tudo) e os alimentos que pretende semear e colher precocemente.

8. Na borda mais baixa, ficam os boldinhos, que protegem contra pragas, além de espantar gatos e cachorros. Esse arbusto de cheiro forte dá um acabamento arredondado muito bonito ao todo e os galhinhos espetados em terra úmida pegam fácil.

9. Regue em abundância assim que terminar. Adube uma vez por semana, jogando na terra os restos de vegetais da cozinha (frutas, verduras e legumes) e cascas de ovo, tudo batido no liquidificador com um pouco de água – é um excelente jeito de diminuir seu lixo e manter a horta produtiva. Lembre-se de SEMPRE cobrir a adubação úmida com uma grossa camada de palha pra que os mosquitinhos não achem essa explosão de nutrientes.

Capítulo 9

Guia rápido pra encontrar sua planta

Nunca foi tão fácil organizar seu cantinho verde, seja ele dentro ou fora de casa, em vaso ou canteiro, com plantas floridas ou folhagens, em tamanho P, M, G ou GG ;)

E a verdinha perfeita pra você é...

A ideia é reunir neste capítulo listas rápidas de consulta de plantas pra ajudar você, meu verdinho, a encontrar a SUA verdinha ideal. Se existisse um aplicativo com um algoritmo mágico, a gente jogaria nele todas as nossas necessidades e, pá!, surgiria uma lista de plantas perfeitas.

Nem preciso dizer que esse algoritmo não existe – até porque alguns critérios são muito subjetivos: o que "não dá trabalho" pra cultivar em São Paulo certamente dá uma trabalheira danada em Manaus (e olha que estou pensando numa roseira qualquer, hein). Dia desses, em Recife, precisava de violeta-africana e soube que as floriculturas de lá quase não vendem essa plantinha tão comum porque a maresia e o calor fazem as flores "melarem".

Pra facilitar sua vida, querido leitor, fugi ao máximo dos termos técnicos. Não há aqui "herbáceas", "rizomatosas" e outras palavras assustadoras, podexá. Tentei trabalhar com expressões que as pessoas normalmente usam ao me pedir dicas de plantas: uma que fique "bem alta", "que dê flor", "que tenha folhagem caída". (Mestre Harri Lorenzi, me perdoe a poesia...)

Também priorizei a característica mais marcante da planta e o tamanho mais fácil de encontrar nos pontos de venda. Assim, embora o fícus-lirata seja uma árvore de sol com mais de dez metros de altura, você provavelmente o verá com 1,5 metro nos garden centers, quase um arbusto, bom pra ambiente interno. Como ele demora pra crescer, preferi deixá-lo nas verdinhas Grandes e não nas Gigantes (onde incluí árvores de calçada e quintal).

Algumas plantas passaram por uma recente revisão de nomes científicos, que sempre deixa todo mundo perdido. Como vai levar anos até que os garden centers e floriculturas adotem a nomenclatura atual, deixei a forma antiga, mais conhecida, mas registrei o novo nome, pra você ir se acostumando. Essas mudanças costumam acontecer a cada quatro anos, quando rola uma reunião mundial de taxonomistas, então, não se apega, não...

Antes das listas, quero lembrar que milhões de espécies ficaram de fora por absoluta falta de espaço. Então, pegue um lápis e anote nas laterais das páginas as substituições que você for encontrando durante sua jornada como paisagista amador. Já pensou que coisa mais extraordinária este livro virar uma espécie de algoritmo mágico *pessoal*? S2

Rasteiras

Chamadas tecnicamente de "forrações", estas espécies crescem rente ao chão – algumas podem ser usadas em vasos suspensos, criando ramas que se alongam, como plantas pendentes.

COLORIDAS

ajuga (*Ajuga reptans*)

asa-de-anjo (*Pilea spruceana*)

grama-negra (*Ophiopogon planiscapus* "Nigrescens")

hera-crespa (*Hemigraphis alternata* "Exotica", nome antigo da atual *Strobilanthes alternata*)

musgo-vermelho (*Selaginella erythropus* "Sanguinea")

trevo-roxo (*Oxalis regnellii atropurpurea*)

REDONDAS

barriga-de-sapo (*Maranta leuconeura* var. *kerchoveana*)

dicondra (*Dichondra micrantha*)

maranta-bigode-de-gato (*Maranta leuconeura* var. "Erythroneura")

musgo-bola (*Selaginella kraussiana*)

perpétua (*Gomphrena globosa*)

LARGAS

brilhantina (*Pilea microphylla*)

gota-de-orvalho (*Evolvulus pusillus*)

Peperomia prostrata (atualmente *Peperomia rotundifolia*)

prateadinha (*Chamaeranthemum venosum*)

singônio (*Syngonium angustatum*)

EM TUFO

bulbine (*Bulbine frutescens*)

clorofito (*Chlorophytum comosum*)

grama-preta (*Ophiopogon japonicus*)

liríope (*Liriope muscari*)

rabo-de-tatu (*Haworthiopsis limifolia*)

COM TEXTURA

carpete-dourado (*Sedum japonicum* "Tokyo Sun")

Drosera rotundifolia

veludo-branco (*Tradescantia sillamontana*)

mil-folhas (*Achillea millefolium* subsp. *ceretanica*)

samambaia-havaiana (*Nephrolepsis exaltata* var. "Marisa")

COM FLOR

falsa-érica (*Cuphea gracilis*)

onze-horas (*Portulaca grandiflora*)

rabo-de-gato (*Acalypha chamaedrifolia*)

tapete-inglês (*Persicaria capitata*)

violeta-verdadeira (*Viola odorata*)

Pequenas

Normalmente comercializadas em potes de seis a quinze centímetros, estas verdinhas crescem devagar, o que as torna ideais pra quem tem pouco espaço – especialmente em ambientes de claridade ou meia-sombra.

COLORIDAS

cinerária (*Senecio flacidus* var. *douglasii*)

fitônia (*Fittonia albivenis*)

orquídea-pipoca (*Ludisia discolor*)

planta-tapete (*Episcia cupreata*)

Procris repens

REDONDAS

cacto-pluma (*Mammillaria plumosa*)

maranta-zebrada (*Ctenanthe burle-marxii*)

Echeveria hybrid

Orostachys malacophylla

violeta-africana (*Saintpaulia ionantha*)

COM TEXTURA

avenquinha (*Adiantum microphyllum*)

barba-de-moisés (*Soleirolia soleirolii*)

cacto-cérebro (*Mammillaria elogata* var. "Cristata")

renda-portuguesa (*Davallia fejeensis*)

Pilea glauca

PONTUDAS

cacto-estrela (*Stapelia hirsuta*, nome antigo do atual *Ceropegia pulvinata*)

trevo-roxo

Oxalis regnellii atropurpurea

asplênio "crispy wave"
Asplenium sp.

Ledebouria socialis

ripsális (*Hatiora salicornioides*)

Sansevieria cylindrica "Boncel"

tilândsia (*Tillandsia sp.*)

CAÍDAS

avenca (*Adiantum sp.*)

colar-de-pérolas (*Senecio rowleyanus*)

corações-entrelaçados (*Ceropegia woodii*, atualmente *Ceropegia collaricorona* subsp. *collaricorona*)

dedinho-de-moça (*Sedum morganianum*)

flor-de-maio (*Schlumbergera truncata*)

COM FLOR

calanchoê (*Kalanchoe sp.*)

mini-lírio-da-paz (*Spathiphyllum wallisii*)

rosa-do-deserto (*Adenium obesum*)

sálvia-azul (*Salvia farinacea*)

sálvia-vermelha (*Salvia splendens*)

Médias

Aqui estão reunidas plantas com e sem flor, de sol e sombra e de trinta centímetros a um metro de altura (umas podem espichar ainda mais depois de alguns anos de cultivo).

COLORIDAS

alocásia "Black Velvet" (*Alocasia reginula*)

bromélias (vários gêneros)

peperômia-caperata (*Peperomia caperata*)

mil-cores (*Breynia disticha*)

senécio-azul (*Senecio mandraliscae*, antigo nome do atual *Curio talinoides* var. *mandraliscae*)

COM TEXTURA

asplênio (*Asplenium nidus*)

begônia-cruz-de-ferro (*Begonia masoniana*)

curcúligo (*Curculigo capitulata*, hoje renomeado *Molineria capitulata*)

Pilea molis

pulmão-de-aço (*Alocasia cuprea*)

REDONDAS

agave (*Agave angustifolia*)

buxinho (*Buxus sempervirens*)

Calathea orbifolia (atualmente *Goeppertia orbifolia*)

dasilírio (*Dasylirion acrotrichum*)

Pilea peperomioides

DESENHADAS

antúrio-clarinervium (*Anthurium clarinervium*)

begônia-maculata (*Begonia maculata*)

chifre-de-veado (*Platycerium bifurcatum*)

peperômia-melancia (*Peperomia argyreia*)

samambaia-prata (*Pteris cretica*)

PONTUDAS

calateia triostar (*Stromanthe thalia* var. "Triostar")

comigo-ninguém-pode (*Dieffenbachia amoena*, atualmente renomeado *Dieffenbachia seguine*)

moreia (*Dietes iridioides*)

pacová (*Philodendron martianum*)

zamioculca (*Zamioculcas zamiifolia*)

COM FLOR

cana-de-macaco (*Dichorisandra thyrsiflora*)

copo-de-leite (*Zantedeschia aethiopica*)

crossandra (*Crossandra infundibuliformis*)

gardênia (*Gardenia jasminoides*)

triális (*Galphimia brasiliensis*)

Comestíveis

Pode provar, deixar no baixo, permitir o acesso de crianças, de animais de estimação e da família toda: estas moças clorofiladas fazem bonito de qualquer jeito, seja no vaso, no canteiro ou, seja no prato!

CHÁS

boldinho (*Plectranthus ornatus*)

capim-limão (*Cymbopogon citratus*)

hortelã (*Mentha piperita*)*

lavanda (*Lavandula dentata*)

sálvia (*Salvia officinalis*)*

TEMPEROS

alecrim (*Rosmarinus officinalis*, mudou de gênero, agora é *Salvia rosmarinus*)

manjericão (*Ocimum basilicum*)*

orégano (*Origanum vulgare*)*

salsinha (*Petroselinum neapolitanum*)*

tomilho (*Thymus vulgaris*)*

VERDURAS

agrião (*Nasturtium officinale*)*

alface (*Lactuca sativa*)*

almeirão (*Cichorium intybus*)*

couve (*Brassica oleracea*)*

rúcula (*Eruca vesicana* subsp. *sativa*)*

FLORES

begônia (*Begonia hybrid*)*

capuchinha (*Tropaeolum majus*)*

dália (*Dahlia pinnata*)

tagetes (*Tagetes erecta*)*

torênia (*Torenia fournieri*)*

RAÍZES, FRUTOS E LEGUMES

beterraba (*Beta vulgaris* subsp. *vulgaris*]*

cenoura (*Daucus carota*)*

pimenta (*Capsicum sp.*)*

rabanete (*Raphanus sativus*)*

tomate (*Solanum lycopersicum*)*

FRUTÍFERAS PEQUENAS

abacaxi (*Ananas comosus*)

melancia (*Citrullus lanatus*)*

melão (*Cucumis melo*)*

minipitanga (*Eugenia mattosii*)

morango (*Fragaria vesca*)

*planta de ciclo anual, morre entre seis e doze meses.

Flores anuais

De crescimento rápido e florada abundante, estas verdinhas precisam de, no mínimo, seis horas de sol por dia. Renove o vaso ou canteiro quando pararem de florir, sinal de fim do ciclo

BRANCAS

álisso (*Lobularia maritima*)

flocos (*Phlox drummondii*)*

gazânia (*Gazania rigens*)*

lírio (*Lillium speciosum*)*

Sunpatiens (*Impatiens hawkeri* var. "Sunpatiens")*

AMARELAS

calêndula (*Calendula officinalis*)

campânula (*Campanula medium*)*

cosmo-amarelo (*Cosmos sulphureus*)

girassol (*Helianthus annuus*)

picão-amarelo (*Bidens aurea*)

VERMELHAS

amarílis (*Hippeastrum hybrid*)*

corriola (*Ipomoeae purpurea*)*

gérbera (*Gerbera jamesonii*)*

tulipa (*Tulipa hybrid*)*

zínia (*Zinnia elegans*)*

ROXAS

angelônia (*Angelonia angustifolia*)*

amor-perfeito (*Viola wittrockiana*)*

petúnia (*Petunia hybrid*)*

pluma (*Celosia argentea* var. *plumosa*)*

verbena (*Verbena hybrid*)*

AZUIS

agerato (*Ageratum houstonianum*)*

centáurea (*Centaurea cyanus*)*

jacinto (*Hyacinthus hybrid*)*

lobélia (*Lobelia erinus*)*

violeta-alemã (*Exacum affine*)*

alecrim
Salvia rosmarinus

camarão-amarelo
Justicia brandegeeana

MUITAS CORES

áster (*Callistephus chinensis*)*
celósia (*Celosia argentea*)*
cravina (*Dianthus chinensis*)*
crisântemo (*Chrysanthemum hybrid*)*
beijo-pintado (*Impatiens hawkeri*)*

*existem em outras cores.

Flores perenes

Com tamanhos muito variados, estas espécies dão floradas que roubam a cena; pra ter flores mais duráveis e vistosas, ofereça sol, mesmo que sejam poucas horas pela manhã.

BRANCAS

crino-branco (*Crinum paludosum*)
estrela-d'alva (*Eucharis grandiflora*)
flor-do-guarujá (*Turnera subulata*)
lírio-do-vento (*Zephyranthes candida*)
Phalaenopsis hybrid

AMARELAS

biri (*Canna generalis*)*
Cymbidium hybrid
camarão-amarelo (*Justicia brandegeeana*)
lantana (*Lantana camara*)*
tango (*Solidago canadensis*)

VERMELHAS

antúrio (*Anthurium andraeanum*)
asclépias (*Asclepias curassavica*)
bastão-do-imperador (*Etlingera elatior*)*
ixora-rei (*Ixora macrothyrsa*)
semânia (*Seemannia sylvatica*)

ROXAS

Denphal hybrid
estrelítzia (*Strelitzia reginae*)
gloxínia (*Sinningia speciosa*)*
olho-de-boneca (*Dendrobium hybrid*)*
orquídea-grapete (*Spathoglottis unguiculata*)

AZUIS

agapanto (*Agapanthus africanus*)
borboleteira (*Rotheca myricoides*)
falsa-íris (*Neomarica coerulea*)
flor-canhota (*Scaevola aemula*)
azulzinha (*Evolvulus glomeratus*)

MUITAS CORES

Epidendrum hybrid
gerânio-pendente (*Pelargonium peltatum*)
manacá-da-serra (*Tibouchina mutabilis*, atualmente *Pleroma mutabile*)
orquídea-bambu (*Arundina graminifolia*)
rosa (*Rosa hybrid*)*

*existem em outras cores.

Folhagens

Sua *urban jungle* estará garantida com este mar de verdin... ops, de roxos, amarelos, vermelhos e muitas outras cores, formatos e texturas interessantes, ideais pra ambientes de sol fraco e claridade.

COLORIDAS

Aglaonema commutatum "Lawan"
capim-rubro-do-texas (*Pennisetum setaceum* "Rubrum", hoje chamado de *Cenchrus setaceus*)
cóleus (*Solenostemon scutellarioides*, atualmente *Coleus scutellarioides*)
inhame-preto (*Colocasia esculenta* var. *aquatilis*)
iresine (*Iresine difusa* subsp. *herbstii*)

REDONDAS

alface-d'água (*Pistia stratiotes*)
Calathea roseopicta (mudou recentemente pra *Goeppertia roseopicta*)
siderasis (*Siderasis fuscata*)
violeta-asiática (*Kaempferia pulchra*)
zedoária (*Curcuma zedoaria*)

COMPRIDAS

dianela (*Dianella ensifolia*)
dracena-de-leque (*Dracaena thalioides*)

dracena-tricolor (*Dracaena reflexa* var. *marginata*)

espada-de-são-jorge (*Sansevieria trifasciata*)

fórmio (*Phormium tenax*)

DESENHADAS

café-de-salão (*Aglaonema commutatum* "Silver Queen")

cróton (*Codiaeum variegatum*)

escudo-persa (*Strobilanthes auriculatus* var. *dyeriana*)

graptofilo (*Graptophyllum pictum*)

taiá-variegado (*Xanthosoma atrovirens* "Albo-marginatum")

RECORTADAS

alocásia-amazônica (*Alocasia longiloba* x *Alocasia sanderiana*)

Chamaedorea elegans

guaimbê-sulcado (*Raphidophora decursiva*)

mini-costela-de-adão (*Raphidophora tetrasperma*)

xanadu (*Philodendron xanadu*)

COM TEXTURA

aspargo-pluma (*Asparagus densiflorus* var. "Myersii")

cicas (*Cycas revoluta*)

clúsia (*Clusia fluminensis*)

nandina (*Nandina domestica*)

zâmia (*Zamia furfuracea*)

Pendentes

Aqui estão flores e folhagens de ramos que "caem", perfeitas pra painéis verticais – inclui trepadeiras que aceitam crescer sem suporte, deixando a folhagem voltada pra baixo.

COLORIDAS

cacto-rabo-de-macaco (*Cleistocactus winteri* subsp. *colademono*)

lambari-roxo "Deep Purple" (*Tradescantia zebrina* "Deep Purple")

nepeta-variegada (*Glechoma hederacea* "Variegata")

peperômia (*Peperomia serpens*)

veludo-roxo (*Gynura aurantiaca*)

LARGAS

dólar (*Plectranthus verticillatus*)

filodendros (*Philodendron sp.*)

flor-de-cera (*Hoya carnosa*)

jiboia (*Epipremnum aureum*)

Monstera adansonii

COM TEXTURA

aspargo-ornamental (*Asparagus densiflorus*)

cacto-rabo-de-rato (*Disocactus flagelliformis*)

Dischidia ruscifolia variegata

tostão (*Callisia repens*)

véu-de-noiva (*Gibasis pellucida*)

DESENHADAS

columeia-marmorata (*Aeschynanthus longicaulis*)

hera (*Hedera canariensis*)

hera-variegada (*Hedera helix variegata*)

Peperomia puteolata (atualmente chamada de *Peperomia tetragona*)

sindapsus (*Scindapsus pictus*)

SAMAMBAIAS

Lomariopsis tenuifolia

samambaia-americana (*Nephrolepis sp.*)

samambaia-do-amazonas (*Polypodiodes amoena*)

samambaia-jamaicana (*Phlebodium aureum*)

samambaia-prateada (*Pteris argyraea*)

COM FLOR

lisimáquia (*Lysimachia congestiflora*)

peixinho (*Nematanthus wettsteinii*)

planta-batom (*Aeschynanthus pulcher*)

russélia (*Russelia equisetiformis*)

vinca-pendente (*Vinca major*)

peperômia
Peperomia serpens

uva rosa
Medinilla magnifica

Trepadeiras

Cipós e folhagens que escalam muros, grades e tutores podem ter galhos bem lenhosos e pedem suportes resistentes; a maioria floresce por meses seguidos, oba!

BRANCAS

cuspidária-branca (*Cuspidaria convoluta* "Alba")

jasmim-de-madagascar (*Stephanotis floribunda*)

jasmim-estrela (*Trachelospermum jasminoides*)

lágrima-de-cristo (*Clerodendrum thomsoniae*)

madressilva (*Lonicera japonica*)

AMARELAS

alamanda (*Allamanda cathartica*)

escova-de-macaco (*Combretum fruticosum*)

jasmim-carolina (*Jasminum nudiflorum*)

sapatinho-de-judia (*Thunbergia mysorensis*)

suzana-dos-olhos-negros (*Thunbergia alata*)

VERMELHAS E ROXAS

chapéu-chinês (*Holmskioldia sanguinea*)

cipó-de-são-joão (*Pyrostegia venusta*)

jade-vermelha (*Mucuna bennettii*)

norântea (*Norantea guianensis*)

papo-de-peru (*Aristolochia gigantea*)

ROSAS

amor-agarradinho (*Antigonon leptopus*)

cipó-rosa (*Fridericia candicans*)

congeia (*Congea tomentosa*)

jasmim-da-índia (*Quisqualis indica*, nome antigo do atual *Combretum malabaricum*)

primavera (*Bougainvillea spectabilis*)*

AZUIS E LILÁS

glicínia (*Wisteria floribunda*)

jade-azul (*Strongylodon macrobotrys*)

sete-léguas (*Podranea ricasoliana*)

Vanda hybrid

viuvinha (*Petrea volubilis*)

SEM FLOR

costela-de-adão (*Monstera deliciosa*)

falsa-vinha (*Parthenocissus tricuspidata*)

guaimbê (*Philodendron bipinnatifidum*, atualmente *Thaumatophyllum bipinnatifidum*)

melindre (*Asparagus setaceus*)

unha-de-gato (*Ficus pumila*)

Grandes

Nesta relação de arbustos e arvoretas de sol ou meia-sombra, vale um alerta: planta grande dentro de casa precisa ficar COLADA ao vidro da janela, onde receba pelo menos sol fraco pela manhã.

COLORIDAS

bico-de-papagaio (*Euphorbia pulcherrima*)

chuva-de-prata (*Leucophyllum frutescens*)

cordiline (*Cordyline fruticosa*)

leia-roxa (*Leea rubra*)

pseudoerântemo (*Pseuderanthemum carruthersii*)

COM TEXTURA

helicônia (*Heliconia rostrata*)

manacá-da-serra (*Tibouchina mutabilis*, mudou de nome pra *Pleroma mutabile*)

mussaenda-rosa (*Mussaenda philippica* "Doña Luz")

orelha-de-onça (*Tibouchina heteromalla*, atualmente *Pleroma heteromalla*)

papiro (*Cyperus giganteus*)

ESCULTURAIS

árvore-do-viajante (*Ravenala madagascariensis*)

jabuticabeira (*Plinia cauliflora*)

jasmim-manga (*Plumeria rubra*)

nolina (*Nolina nelsonii*)

pata-de-elefante (*Beaucarnea recurvata*)

COM FLOR

azaleia (*Rhododendron simsii*)

hortênsia (*Hydrangea macrophylla*)

lanterna-chinesa (*Abutilon striatum*)

odontonema (*Odontonema tubaeforme*, renomeada como *Thyrsacanthus tubaeformis*)

uva-rosa (*Medinilla magnifica*)

PRA DENTRO DE CASA

árvore-da-felicidade (*Polyscias fruticosa*)

Calathea lutea

Ficus altissima

fícus-lirata (*Ficus lyrata*)

pleomele (*Dracaena reflexa*)

PRA CERCA VIVA

cheflera (*Schefflera actinophylla*)

leiteiro-vermelho (*Euphorbia cotinifolia*)

malvavisco (*Malvaviscus arboreus*)

pau-d'água (*Dracaena fragans*)

podocarpo (*Podocarpus macrophyllus*)

Gigantes

Eis algumas das árvores e palmeiras mais belas que existem, com mais de quatro metros de altura, perfeitas pra ambientes espaçosos e extremamente ensolarados, como quintais, calçadas e praças.

COLORIDAS

ácer-roxo (*Acer palmatum* var. *atropurpureum*)

embaúba-prateada (*Cecropia hololeuca*)

eucalipto-arco-íris (*Eucalyptus deglupta*)

palmeira-azul (*Bismarckia nobilis*)

sapucaia (*Lecythis pisonis*)

FLORADAS EXUBERANTES

abricó-de-macaco (*Couroupita guianensis*)

amérstia (*Amherstia nobilis*)

árvore-da-china (*Koelreuteria bipinnata*)

lofantera (*Lophantera lactescens*)

sibipiruna (*Caesalpinia peltophoroides*, nome antigo do atual *Cenostigma pluviosum*)

FRUTÍFERAS

cerejeira-do-rio-grande (*Eugenia involucrata*)

cambucá (*Plinia edulis*)

coqueiro (*Cocos nucifera*)

grumixama (*Eugenia brasiliensis*)

jambo-vermelho (*Syzygium malaccense*)

LARGAS

algodão-da-praia (*Hibiscus tiliaceus*, que atualmente chama *Talipariti tiliaceum*)

astrapeia (*Dombeya wallichii*)

chichá (*Sterculia chicha*, hoje chamado de *Sterculia apetala*)

eritrina-variegada (*Erythrina variegata*)

tipuana (*Tipuana tipu*)

ESCULTURAIS

araucária (*Araucaria angustifolia*)

baobá (*Adansonia digitata*)

flamboyant (*Delonix regia*)

paineira-rosa (*Ceiba speciosa*)

pândanus (*Pandanus utilis*)

PRA CALÇADAS*

aroeira-salsa (*Schinus molle*)

ipê-roxo (*Tabebuia impetiginosa*, renomeado *Handroanthus impetiginosum*)

jacarandá (*Jacaranda cuspidifolia*)

maduirana (*Senna macranthera*)

pau-brasil (*Paubrasilia echinata*)

* Consulte a prefeitura antes de plantar em calçadas!

costela-de-Adão
Monstera deliciosa

Minha floresta de raridades

Nem só de árvores se faz uma floresta: nela crescem arbustos e arvoretas, flores e folhagens, orquídeas, samambaias, bromélias, palmeiras, um sem fim de verdinhas maravilhosas que dão o melhor de si pra tornar esse ecossistema especial, saudável e equilibrado. Numa mata verdejante há espaço pra todos, das menores graminhas aos mais robustos jequitibás – e é no meio de uma floresta de raridades que me sinto ao escrever este livro. Cada texto, foto ou segredinho de cultivo só veio parar nestas páginas porque pude contar com uma rede poderosa, variada e talentosa de pessoas queridas, que uniram forças pra você se sentir mais seguro e confiante ao construir seu cantinho verde.

Vivian Klein Gunnewiek e Tommy van Noije, da Magna Flora, não só me ajudaram com os projetos deste livro como ainda abriram o lar pra ser cenário de muitas das fotos. A capa do livro foi feita na sala da casa deles; detonamos o gramado do quintal ao construir a espiral de ervas, e até a fachada acabou vindo parar aqui nos projetos! Vivix e Tommy, cêis dois moram num duplex no meu coração – e com vista pra montanha mais verdinha que há!

Outros casais amados me ajudaram desde que este livro era uma semente, como Juliana Valentini e Flores Welle, meus queridos afilhados da Escola Orgânica, ou minha sócia-amiga-guerreira Ana Paula Sá Leitão e seu marido, Theo van der Geest. Devo meu mais sincero obrigada ainda a Harri Lorenzi e Vanessa Brochini, do Jardim Botânico Plantarum, a Silvana Novaes e Eduardo Savazoni, da Vasart, e a Deborah Acosta e Fernando Honda, da Acosta Plantas Ornamentais, que doaram algumas das folhas mais belas pra gente fazer os leques coloridos que estão no primeiro capítulo.

Muitos outros amigos fazem parte da minha floresta particular, sem os quais este livro jamais teria brotado. Recebam meu abraço mais apertado Raul Cânovas, Cissa Brandão, Benedito Abbud, Ursula Taveira, Edvin Markstein, Flávia Nunes, Juareis Januário, Thamires Domingos e toda a família Black, da Atmosphera Paisagismo.

Aproveito pra agradecer aos novos e antigos parceiros. Minha querida editora, Quezia Cleto, e a diretora de arte, Joana Figueiredo, já tinham feito uma dobradinha maravilhosa no *Minhas plantas: Jardinagem para todos*, e agora voltaram ainda mais animadas. Juntou-se a elas o fotógrafo Angelo Dal Bó, pra deixar este livro uma COISA de lindo. Entre os parceiros de longa data, vale destacar Marcelo Akiyoshi, Regina e Johannes van Kampen, Cida Lucindo, Andreia e Toni Rodrigues, Marronio Avelino e Thamara d'Angieri. Ah, e deixo aqui todo meu carinho à equipe do Hotel 1948, que graciosamente me acolheu pro que era um dia de fotos (e virou um ano de vídeos, lives e cursos on-line...).

E por ter alguém tão generoso e gentil quanto um grande coqueiro, por receber a melhor das sombrinhas, ouvir o farfalhar mais adorável e os frutos mais energizantes, entrego meu coração inteiro de gratidão ao meu companheiro de quase vinte primaveras, Alexandre Pavan.

Pav, sem você eu jamais teria me sentido capaz de virar jardineira. Obrigada por afofar o solo e cuidar desta grama-amendoim com tanto amor. Que este livro possa despertar mais verdinhos por esse mundão como você fez por mim.

Carol Costa brotou em Piracicaba (SP), mas, gramínea que é, logo se espalhou por São Paulo. Cresceu jornalista e, por dezoito anos, viveu nos lugares mais ensolarados da Editora Abril, da *Folha de S.Paulo*, da Rede Record e da Globo AM. Em 2012, desabrochou ao criar o *Minhas Plantas*, maior site do ramo no Brasil, com mais de 1 milhão de seguidores no YouTube. Nos últimos anos, absorveu nutrientes da jardinagem do Parque Ibirapuera e do paisagismo do Instituto Brasileiro de Paisagismo. Encontrou solo fértil na pós-graduação em agricultura biodinâmica do Instituto Elo, em Botucatu (SP). Suas sementes apareceram no GNT, nos programas *Mais Cor, Por Favor* e *A Louca das Plantas*, e na BandNews FM, onde há 6 anos faz a coluna *Jardinaria*. Espalha suas ramas em cursos, palestras e consultorias, mas pretende fazer dos livros seu grande jardim.

Site: minhasplantas.com.br
Youtube: /minhas plantas
Insta: @minhasplantas
Face: /minhasplantas

*Esta obra foi composta por Joana Figueiredo
em Acta e impressa pela Geográfica em ofsete
sobre papel Couché Matte da Suzano S.A. para
a Editora Schwarcz em julho de 2021*

FSC
www.fsc.org
MISTO
Papel produzido
a partir de
fontes responsáveis
FSC® C019498

A marca FSC® é a garantia de que a madeira utilizada na fabricação do papel deste livro provém de florestas que foram gerenciadas de maneira ambientalmente correta, socialmente justa e economicamente viável, além de outras fontes de origem controlada.